新 潮 文 庫

ジャイロスコープ

伊坂幸太郎著

新 潮 社 版

10264

目次

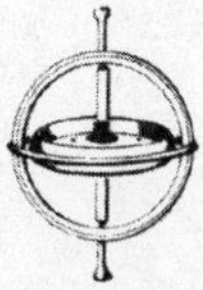

ジャイロスコープ

【gyroscope】

① gyro

1、輪、螺旋

2、牛肉やラムをトマトと玉葱と一緒に平たいパンにのせたギリシャ風サンドイッチ

3、ジャイロスコープの略称

scope

1、範囲、余地

2、(複合語で) ～を観察する器械

② 回転するコマを三つの輪で支え、自由に向きを変えられるようにした装置。応用により、物体のずれや揺れを防ぐ。
また、外力を加えるとコマ独特の意外な振る舞いをすることから、転じて、軸を同じにしながら各々が驚きと意外性に満ちた個性豊かな短編小説集を指す。

浜田青年ホントスカ

1

〈スーパーホイホイ〉の駐車場は広い。〈スーパーホイホイ〉の創業者が、「ライバル店である〈スーパータイヘイ〉には駐車場がないのだから、駐車スペースを広くすればするほど、こちらは有利になるだろう。品揃《しなぞろ》えなど二の次だ」と高らかに主張し、店舗よりも数倍広い敷地を確保したらしいが、創業者の期待もむなしく、駐車場はいつまで経《た》っても車で埋まらなかった。世の中は車社会になったものの、蝦蟇倉《がまくら》市の住人たちは、近くのスーパーへ行く時にまで車を使うほど怠慢ではなかった。自転車もしくは徒歩で移動することが多く、だから駐車場がなくとも〈スーパータイヘイ〉はいつも賑《にぎ》わっており、品揃えの悪い〈スーパーホイホイ〉の駐車場はいつも空きスペースばかりだ。

稲垣《いながき》さんはそう説明した後で、「スーパー側は、駐車場が空いていることについては気にしていないらしいんです。でも、創業者の先見の明のなさを晒《さら》しているのが、つらいようでね、それで私に相談してきたんですよ」と微笑《ほほえ》んだ。顔は精悍《せいかん》、炯々《けいけい》と光る眼に髪がかかり、二十代の芸術家のようだったが、視線を下に移せば、その身体《からだ》は、丸みを帯びた四十代の、脂肪を着ているというのがふさわしい、体型だった。首から上は、精緻《せいち》なデッサンで、下は手を抜いた漫画絵、というほどにアンバランスだ。年齢はまだ聞いていないが、顔と体型のあいだを取って、三十代というところかもしれない。口調はとても丁寧で、優しく教え諭してくるようだ。

「それで私は、〈スーパーホイホイ〉の店長に言ったんです。じゃあ、この隅にプレハブを建てて、そこで商売をしましょうか、と。場所代も払いますし、もしかすると、客寄せにもなるかもしれません。駐車場が広くて良かった、とみなさん、納得する可能性もあります」

「本当っすか」僕は言う。

「浜田《はまだ》君、それ、口癖ですよね」稲垣さんが指摘してきた。

「え、本当っすか？」

「ほら」

「あら」僕は恥ずかしさにうつむく。「でも、スーパーからの相談がきっかけで、相談屋がはじまった、というのも凄《すご》いですね」

「ですよね」稲垣さんは目を細める。そうなると、幼く見えた。「相談屋のはじまりには相応《ふさわ》しいです」

『助言あり〼《ます》』

とは、プレハブの前に立てられた看板の文句だった。その文字の下に、『協力いたし〼』ともある。安心の価格、納得の名助言、なども書いてあるが、そもそも相談屋の相場がはっきりしないのだから、価格の比べようがない。

「今日でようやく一週間ですが、浜田君、プレハブでの寝起きには慣れましたか？」稲垣さんが言う。「こんな狭いところで申し訳ないです」

プレハブには扉が二つある。向かって左側が、相談客が訪れる際に使うものだった。中に入ると、小さな机と椅子《いす》がぽつんとあり、そこで稲垣さんが応対をする。手相見や占いの小屋と似ているが、そういった場所に比べれば、蛍光灯が明るく点《つ》き、健全な印象がある。向かって右側のドアは基本的に鍵《かぎ》が閉まっている。中は、接客スペースと仕切りを隔てたスタッフルームとなっていて、僕が今、稲垣さんと喋《しゃべ》っているのはそこだった。スチール机とパソコン、書棚があり、脇《わき》には布団《ふとん》が敷いてある。僕はそこで寝泊りしていた。確かに狭いが、心地よい狭さと感じられた。

「いろんな相談があるものですね」僕は手元のノートを見ながら言う。稲垣さんが、接客が終わった後に書き込んだ記録帳のようなものだった。日時と名前、相談内容が書いてある。

「これは内緒ですけどね」稲垣さんが声を潜めた。「この市のキャッチフレーズも、昔、私が市長に相談されたんです」

「市のキャッチフレーズ？」

「この蝦蟇倉市の、『いざ、蝦蟇倉！』というやつです。助言がそのまま採用されました」

「ぱくりですよね」

稲垣さんは、「人聞きが悪いですね」と眉間《みけん》に皺《しわ》を寄せた。「鎌倉時代の誰が考え出した台詞《せりふ》か分かりませんが、そのフレーズの権利はたぶん、もう切れてますよ」

2

僕が蝦蟇倉市にやってきたのは、九日前だった。乗り慣れない銀のファミリーカーを運転し、蝦蟇骨《がまほね》スカイラインを走ってきた。どこか宿泊場所がないか、と探し回っていたのだが、看板は見つからず、ガソリンスタンドで教えてもらったのが、古いビジネスホテルだった。古く鄙《ひな》びた外観に動揺し、〈バスコ・ダ・蝦蟇〉という名前にも腰が引けたが、まずは長旅の疲れを取りたくて、宿泊を決めた。

前払いです、と言われ、「本当っすか？」と思わず訊《き》き返した。

「本当っすよ」

財布からクレジットカードを出したが、使えるとは思わなかった。〈バスコ・ダ・蝦蟇〉はカードを利用できるような風情《ふぜい》ではなかったし、それ以上に、カードが無効にされているのではないか、と半分諦《あきら》めていたからだ。

家出息子を心配した金持ちの親が、その行動範囲を狭めるためにカードを失効させる、という方法は、映画でも見たことがある。蝦蟇倉市に来る前のガソリンスタンドでは、まだ使用できたが、その後で止められている可能性はあった。

「使えて、良かった」と思わず僕は言ってしまい、むすっとしたホテルの男に、睨《にら》まれた。不正なカードじゃないの？　と疑われたような気がして、慌《あわ》てて、「いや、ママに止められてるかと思って」と言ったが、それはそれで怪しまれた。

「あ、連泊ってできますか」カードを返してもらった後で、訊《たず》ねた。

「何泊？」

「まだ決まってないんですけど」自分が果たしてどれくらいこの町にいるのか、まだ分からなかった。「とりあえず、一泊ほど」

さて、どうやって仕事をやろうか、と僕は考えつつ、長旅に疲れてもいたので、最初の日はほとんどホテルに閉じこもり、眠ったり、携帯電話で情報を収集したり、地図を見たり、を繰り返した。ホテルに食堂はなかったため、空腹になれば、〈スーパーホイホイ〉を訪れ、お惣菜《そうざい》やパンを買い、それを食べた。もともと食への欲求は強くないため、腹に入れば何でも構わない。

二日目の昼間、〈スーパーホイホイ〉の広い駐車場を横切っていると、稲垣さんに声をかけられた。背中を軽く指で突《つつ》かれ、「最近、よくここを歩いてるのを見かけますが、引っ越してきた人ですか？」と言われた。ずんぐりした体が目に入り、徐々に視線を上に移動し、身体と不釣合いな、鋭く逞《たくま》しい顔つきを見て、はっとした。意識するより先に、「あ」と僕は漏らした。

彼が小さく鼻から息を漏らした。鼻の穴が広がる。「私、身体と頭が、アンバランスでしょう？　よく驚かれます」

僕は、「いえ、まあ」と曖昧《あいまい》に答えた。

「引っ越してきたんですか」彼が質問を繰り返した。

「いえ、よそ者です」

彼は、稲垣、と名乗ったので、僕も、「浜田と言います」ととっさに答えた。

「もし、まだこの町にいるつもりでしたら、いっそのこと、私のアシスタントをやってみませんか」と稲垣さんは唐突に言う。僕は周囲をきょろきょろと見回してしまう。

「アシスタント？」思いもよらない台詞だった。

ほら、あそこにプレハブがあるでしょう、あそこで私は相談屋をしているんですよ、と彼は言う。確かに稲垣さんの指差した方向にはプレハブがあり、手作りの看板も立っていた。

「生きていく私たちの前に、いつも立ち塞《ふさ》がるものは何ですか？」稲垣さんが訊ねた。

「何でしょう」

「悩みや問題ですよ。そればかりです。悩みを抱えて、その答えなんてどこにもないことにげんなりしながら、日々を生きている。そんなものです」稲垣さんはなぜか自分の腹の贅肉《ぜいにく》をつかみながら、言う。「私は、そういったみなさんの悩みや疑問、相談に助言をしてあげようと思っているんですよ。回答そのものは私にも分かりませんが、アドバイスはできる、というわけです。名案あります、知恵あります、という具合です」

「本当っすか？」僕は疑っていたわけではなかった。ただ、言わずにはいられなかった。

「この蝦蟇倉市で、不可能犯罪が多いのは知っていますか？」

「不可能犯罪って何ですか」

本当に君はよそ者なんですね、と稲垣さんは嬉《うれ》しそうだった。「普通では不可能としか思えない犯罪のことですよ。鍵の閉まった部屋で誰かが殺されていたり、鍵の閉まったトイレで誰かが死んでいたり、鍵の閉まった納戸《なんど》の中で五月人形が壊れていたり、そういった不可能状況での犯行を主に指します」

「それだけ鍵が関係してるなら、鍵屋の仕業だと思いますよ」

「あくまでも例ですから」稲垣さんはまた、贅肉をつまむ。「この市ではそういう事件が多いんです」

「市民の気質が関係しているんですかね」

「私は、みなさんの無意識がそうさせているんだと思うんです」稲垣さんの声が大きくなる。

「無意識が？」昔、僕がまだ会社員であった頃、一年違いの先輩が、仕事で失敗するたびに、ストレスと無意識のせいにしていたのを思い出した。俺が悪いんじゃない、ストレスだ。俺が悪いんじゃない、俺の無意識が。とうわごとのように言っていた。

「あまりに突飛で、謎《なぞ》めいた事件を前にすれば、自分の抱えている悩みや不条理なんてたいしたことではないな、と思えるじゃないですか。訳の分からない悩みは、もっと訳の分からない不可能犯罪の中に埋もれさせよう、という意識が働いているのではないか、と私は見当をつけているんです」

論理的な意見とは思えなかったが、僕は否定しなかった。それから稲垣さんは、そういえば、この市の警察に不可能犯罪係という専門の部署を設けるように提言したのも私なんですよ、と誇らしげに言いもした。

「で、稲垣さんは相談屋を二年間、一人でやっているんですか？」

「この間までアシスタントがいたんですけどね」

「辞めさせたんですか？」

「あまりいい助手とは言えませんでした。とはいえ、一人では難しいこともありますし、アシスタントを探していたんですよ」

と彼が言った時には僕はすでに、プレハブの中にいた。いつの間にか稲垣さんの歩みに合わせ、進み、中に入っていたようだ。駐車場からプレハブ内に、唐突な移動だ。流れの穏やかな川に抱かれ、気づけば、下流の川原へ到達している、そういう感覚だった。

ここが相談を受ける場所です、と稲垣さんは、丸テーブルを挟んで向かい合った僕に言う。

「助手って何をやるんですか」

「私が、客と応対している間、裏の部屋にいてほしいんです。カメラで、この場所を監視しているので、それを裏手でモニターを使い、見ていてほしいんです」

「カメラで監視？」

稲垣さんはそこで自分の背中側の壁にかかる時計を指差した。長針と短針の合わさる金具のところだった。「この真ん中にカメラが」

目を細めるが、分からない。「相談に来たお客さんが暴れたりしないか、監視するんですか？」

「暴れる人は少ないですよ。まあ、相談内容の記録を取っておきたい、というのが第一です」

個人的な相談で来た客からしてみれば、そのような録画は嫌がられるのではないか、と僕は言った。彼はまったく意に介さず、「個人情報の取り扱いは厳重にしているから、大丈夫ですよ」と言うのみだ。

「本当っすか」絶対に嘘《うそ》だ、と僕はプレハブの華奢《きゃしゃ》な作りを眺め、思う。誰でも侵入できそうであるし、情報を保護するどころか晒すことのほうがむいている。

稲垣さんは腕を組んでいるが、その妙に短く見える腕が可愛《かわい》らしかった。「どうでしょう。やりませんか？」

「あの、それって僕にとってメリットはあるんですか？」もちろん、ある、と僕は知っていたが一応、確かめる。

「もちろんありますよ、浜田君」と稲垣さんは上機嫌な笑みを見せる。「まず、助手はこの裏の部屋で寝泊りをしてもらいます。つまり、宿泊場所が確保できます」

「なるほど。ほかには？」

「〈スーパーホイホイ〉の店長の好意で、お惣菜の残ったものはただでもらえるんですよ。食事代も浮くというわけです」

「なるほど。ほかには？」

「いろいろな相談がここにはやってきます」

「相談屋ですもんね」

「人の相談事を垣間見《かいまみ》るのは、贅沢な娯楽ですよ」あっけらかんと稲垣さんは言う。

「どうでしょう」

「それに、私のノウハウを盗めば、君もどこかで相談屋を開くことができます。元手はかからないですし、これほど効率のいい仕事はありません」

「はあ」

「でも、回答を出してあげないといけないんですよね」

「私のやり方を見ていれば、コツがつかめるかもしれません。相談屋のいいところはですね、基本的には、正解を導く必要はない、という点です。探偵や便利屋と違い、比較的、無責任なものです。先日、ある和菓子屋さんが、大黒様の置物を取り戻したい、と相談に来ましたが、私にはそれが誰によって奪われたのか、言い当てることはできないんです。あくまでも、助言止まりです。かわりに福助でも置いたらどうですか、とかね、そういったものです。意外に簡単なんですよ」

体を揺すり、稲垣さんは笑う。

「本当っすか？」

3

相談屋の需要は、僕の予想よりも遥《はる》かにあった。言われた通り、プレハブの裏部屋でモニターに映された映像を眺めながら、来客の多さに感心した。老若男女《ろうにゃくなんにょ》、くだらないことから不法行為に関することまで、多種多様な相談がやってきた。

助手初日にやってきたのは、恐妻家を自負する中年の男だった。

「実は、この間、妻の部屋にこっそり入ったところ、畳で滑ってしまいまして、足の指で、押入れの襖《ふすま》に穴を開けてしまったんですよ」彼は、これが妻にばれたら家の中の不穏な空気で、私は間違いなく窒息します、と言い切った。

可愛らしい相談事だな、と僕は思っていたけれど、稲垣さんは真剣そのもので、そうですかそうですか、とうなずき、相手の家族構成、押入れの場所、穴の大きさについて聞きはじめた。

やがて、「では」と言ったかと思うと手元の紙に軽やかに何か記入した。医者がカルテに薬の処方を書くのと似ている。「あなたのところの、その生後十ヶ月の赤ん坊のせいにしましょう」

「はい？」

「這《は》い這《は》いはなさるんですよね？」

「ええ、なさります」と彼は、自分の赤ん坊に敬語を使った。

「赤ん坊がいきなり、奥さんの部屋に入っていった。落ちている何か、リモコンやブラシでいいかと思いますが、それを赤ん坊が拾って、振った。その際に、押入れに穴が開いた。そういうことにしましょう」

「でも」

「何ならあなたは、『子供が手にして危ないから、ブラシを無造作に置いておくなよな』と奥さんに注意すらできるかもしれない」

「まさか」妻に注意することなどできるはずがない、という震えを彼は見せた。「それに、妻の部屋は二階です。うちの子、まだ階段は上れないですよ」

「ではこうしましょう」稲垣さんは怯《ひる》まない。「奥さんがいない間、子供が寂しがって泣いてしまった。あなたは、子供に少しでも母親の気配を感じさせようと、彼女の部屋に連れていった、と。さほど非難されることではないでしょう。ただ、あなたもそこで、『迂闊《うかつ》に母親の部屋に連れていった自分が、いけなかった』と謝っておく必要はあります。一方的に責任を回避するのではなく、自分の非と相手の非を半々くらいに表現し、相殺《そうさい》させてしまうんですよ」

モニターに映った男性は、「その通りにやってみます」とうなずいた。ありがとうございます、と頭を下げている。財布から札を数枚取り出し、稲垣さんに手渡していたが、相談料がいくらなのかは分からなかった。

「今の客、何で奥さんの部屋にこっそり入ったんでしょうね」後で僕が訊ねると、「さあ、分かりません」と稲垣さんは興味がなさそうに言った。

その恐妻家の二人あとにやってきた女性は、顔色が良くなかった。プレハブに入ってきた時からとにかく伏し目がちで、椅子に座っても震えているようだった。小柄で、黒髪が長く、顎《あご》は小さく、まばたきが多い。モニターを見ながら僕は、その特徴をパソコンに入力する。それも、稲垣さんから指示された、助手の仕事だった。データベースを作るつもりらしい。

客である彼女はテーブルに、新聞記事の切抜きを置いていた。「取材源秘匿《ひとく》は認められず」と記事にあった。全国紙の大々的なものだ。

その、半月ほど前のニュースは見たことがあった。ある新聞記者が、官庁の汚職について追及したのだが、その調査の過程で、重要な資料を入手していた。裁判の際、記者はその資料の入手先は、取材源秘匿のルールから明かせないと、主張した。けれど、その地方裁判所は、「もし取材源が国家公務員であるのなら、その守秘義務違反となる可能性もあるから、明かさないといけませんよ」と判断を下した。それが正しい理屈なのかどうかは僕には分からないが、別の地裁では、同ケースで異なる判決が出たようで、何とも曖昧だな、とは思った。

「つまり、あなたはこれが怖くて、内部告発ができない、と悩まれているんですね」稲垣さんが物分りよく、要約した。隠しカメラからは、稲垣さんの背中しか見えないのだが、その大きな身体はモニター越しでも安心感がある。

「わたしも公務員ですし」

気にしすぎではないか、と僕は無責任に思いもしたけれど、彼女は彼女なりに悩み、だからこうして、有料の相談屋を訪れているのだろう。

「ああ、そうですか。確かに、それは大変な悩みですよね」稲垣さんはしみじみと言う。どんな悩みであっても、「あなたの悩みは誰よりも深刻で、難問である」という応対をしなければならない、と言っていたが、それを実践している。

「黙っているのは簡単なんですけど、でも、税金がこんなことに使われているだなんて、やっぱり公表しないと」

こんなこと、とは、どんなことなのだ、と僕は少なからず興味を持った。

彼女は明かさなかった。

「もし、公表するとしたら、それは資料か何かが存在しているんですか？」

「パソコンの中に」と彼女は顎を引いた。

「あなたのパソコンにですか？」

「いえ、実は上司のパソコンにあるのを、見つけてしまって」

どうして上司のパソコンをこっそり覗《のぞ》いたのかは判然としないが、とにかく、その不正の証拠となる資料を発見し、彼女はおののき、自分のパソコンにコピーをし、それから、使命感と保身の間で思い悩んでいたらしい。

なるほどそうですか、と稲垣さんは返事をし、腕を組む。ほどなく、テーブルの上の記事を手前に引き、「では、これを使っちゃいましょうか」と言った。

これとはどれ？　僕はモニターに顔を近づけるが、稲垣さんの身体でよく見えない。

「先ほどの記事の隣、ここに、パソコンウィルスの記事があるじゃないですか。ファイル交換ソフトが、ウィルスに感染し、その結果、企業や警察の重要資料が流れ出している、という」

「はあ」女性が答える。

はあ、と僕も思った。

「このウィルスのせいにしてしまいましょう。上司のパソコンでも、あなたのパソコンでも構いません、このソフトを導入し、ウィルスに感染させて、その資料を送っちゃいましょう」

「送っちゃうってどこへですか」

「世界中に」と稲垣さんは愉快げに言った後で、「from 蝦蟇倉」と得意げに続ける。

「さりげなく、どこかの記者にその旨《むね》を伝えれば、きっと自分で入手しますよ」

「はあ」

「どうでしょう」

「それって、守秘義務違反にはならないんでしょうか」

「なるかもしれませんが、少なくとも、記者は、『資料は、ウィルスで流れてきたので、取材源と言われても困ります』と言い訳することはできます」

女性客は納得したような、しないような、という中途半端《はんぱ》な顔つきだったが、最初に姿を見せた時に比べれば、顔の血色は良くなっていた。うつむく角度も減っていた。

テーブルに置かれた紅茶にゆっくりと口をつけ、ふっと息を吐いた。

「ありがとうございます。でも、わたし、パソコンにソフトを入れるのとか詳しくなくて」

ああ、大丈夫です、お手伝いしますよ、と稲垣さんは明晰《めいせき》な声で答える。プレハブの壁に貼《は》ってある紙を指差した。外に置いた看板と同じ内容で、そこには、『協力いたし〼』とある。

4

「ここで寝起きしていただきます。食事とトイレは〈スーパーホイホイ〉で、入浴は、隣の漫画喫茶のシャワー室を利用してください。それ以外には、あまり外に出ないでください。それと、携帯電話は私に預けてください」

助手をやります、と僕が決め、ビジネスホテル〈バスコ・ダ・蝦蟇〉から荷物を引き上げ、プレハブにやってきた時、稲垣さんは条件として、そう付け加えてきた。

え、そんなことを言われても、と僕は面食らったが、すでに助手を引き受けた手前、そこでは断りづらく、結局は条件を呑《の》んだ。

「ある結論が出て、取りまとめる直前に、細かい追加条件を付け足せば、たいがい呑んでもらえるんですよ」と後で稲垣さんが教えてくれた。国家間の会談や、会社での長い会議の時に有効なやり方です、と。つまり、ようやく意見がまとまる、という際、どさくさに簡単な追加事項を出しても、参加者は疲労していることもあって、再び議論をやり直そうとは絶対に言い出さない。ご破算にする勇気もない。そこが、チャンスなのですよ、と笑った。「だいたい、受け入れてもらえます」

「どうして外に出たら駄目なんですか」と僕が訊ねると稲垣さんは、眉《まゆ》を下げ、申し訳なさそうな表情になった。「これはまだ決まっていないんですが、来週、あるお客が来ることになっているんです」

「相談しに？」

「ええ。ただ、私はその人物とは顔を合わせたくないんですよ」

「知り合いなんですか」

説明が難しいのですが、と稲垣さんは言葉を濁した。「とにかく、私の希望としては、その時、浜田君に、私の役をやってもらいたいんです」

急な指名に、僕は当然、たじろぐ。

「一週間、私の仕事をよく見てもらって、そして、来週、代役をやってもらいたいんです。ただ、代役だとばれてしまうと少々、面倒でして、あくまでも相談屋本人のふりをしていただきます」

「助手でもなく、ですか」

稲垣さんが瞼《まぶた》を閉じ、うなずいた。「ですので、あまり外に出て、誰かに目撃されてしまいますと、プレハブには二人いるぞ、とばれてしまうわけです。それは都合が良くない」

別に問題ないではないか、と僕はすぐに思った。二名が目撃されようが、どちらも相談屋だと言い張れば良いだろうし、と。

「一週間だけですから我慢してもらえませんか」

「まあ、一週間であれば。でも、携帯電話はどうして駄目なんですか」

稲垣さんは目にかかる前髪を手で横に払い、苦々しさを見せた。「それは前の助手のことがありまして」

「辞めさせられた助手ですか」

「今回の浜田君と同じように、ここでモニターを監視してもらっていたんですが、接客中の私から見えないのをいいことに、携帯電話で誰かとずっと喋っていたんですよ。なまけていたわけです。さらには、彼の話す声が、私のいる隣まで聞こえてしまい、相談に来た方たちも眉をひそめることがたびたびありました。最初のうちは、注意し、仕事中の電話禁止を言って聞かせていたのですが、その場では、はいはいと聞いていても、結局守らないんですよ。それが私からすると、嫌な記憶となっていまして、申し訳ないのですが、浜田君の電話も預からせていただければ、と」

僕は、そこまでするのは少々、乱暴ではないか、と思った。携帯電話の電源を切っておけば済む話であるし、人によっては携帯電話を奪われることは友人を失うことと同義で、苦痛のあまり悶絶《もんぜつ》するのではないか、とも思った。

そのあたりは稲垣さんも重々承知しているのか、「無理にとは言いませんが、できれば、最初の一週間だけは」と言った。

「その、例の客が来るまでは、ということですか」

「信用していないわけでもないのですが、ただ、失敗はしたくないんです」

僕はさほど抵抗せずに、稲垣さんの条件を受け入れた。特に、携帯電話が必要とも思えなかった。稲垣さんのそういうきっちりとしたやり方に、プロ意識のようなものを感じたくらいだ。「仕事を間違いなく遂行する、というのはプロの基本です。時にはいい加減なプロもいますが、それは仕事というよりは、趣味のようなものですよ」

と彼は軽蔑《けいべつ》の色を浮かべた。

5

二日目には物騒な依頼があった。見たところはごく普通の中年女性で、おそらくは四十代、人の良さそうな丸顔で、身体も、稲垣さんに負けず劣らずの、重曹が効いて上手に生地が膨らみましたね、と評したくなるような体型だった。眉は細く、どこか大人しそうでもあるのだが、その彼女は、「わたし、向かいの家の奥様が本当に憎くて、殺してやりたいんです」と静かに言った。

感情的でもなければ、思いつめた様子もあまりなく、どこか淡々としていた。

「本当っすか」と僕はモニターに訊き返していた。

「そうですか」稲垣さんは驚きも見せず、いつもと同じ反応をした。「それで、どうしたいんですか」

「疑われずに殺害する方法はないですか？　あの人だけが死んで、わたしは無事、という方法は」

「なるほど」

プロの殺し屋にでも頼んだほうがいいんじゃないですか、と僕はこちら側で思ったが、それを見透かしたわけでもないだろうが、モニターの中の稲垣さんが、「殺し屋なんていう便利な職業は、フィクションの中にしかいないですからね」と言った。「そうなんですよ。もっと現実的な方法はないですか」

「たとえば」と稲垣さんは言った。手元の新聞を広げる。「これは、先ほど私の車のところに落ちていた新聞なんですが」と断り、記事を見せる。「隣県で山の中で、輸送中の鰐《わに》が逃げた、というニュースがあります」

「ああ、テレビで見ました」

「その殺したい奥様を、どうにかその山中へ連れ出して、鰐に遭遇させるというのはどうでしょう。鰐の顎の力は強力らしいです」

婦人は困惑しつつ、愛想笑いを浮かべた。「もっと現実的なやり方を」と懇願するようでもある。「完全犯罪の方法を」

「完全犯罪ですか」と稲垣さんは言った。「それは案外難しいですよ。まったく無関係の土地で、無関係の人を、しっかりした準備と覚悟を持って殺害するならまだしも、近所の方となれば、なかなか難しいです。ちなみに、傍目から見て、あなたとその方との関係は良好ですか？　何か、殺害の動機となりうるものが、他人からも分かりますか？」

「いえ」と彼女は首を振る。「わたしたちはあくまでも表面的には、親しい近所づきあいをしていますし、わたしの心の中のこのもやもやとした思いには誰も気づいていないはずです」

どうして世の中はこうも殺伐としているのだ、と毎度のことながら思う。

稲垣さんは二つのことを質問した。一つは、彼女が車の免許を持っているかどうか、二つ目は、ある程度の刑を受けるのは我慢できないか、という、これはどちらかといえば提案に近かった。

「ある程度の刑?」

「まったくの無罪というのは難しいです。しかも、罰は受けなくても、ずっとその罪が露呈するのを恐れ、生きていかなくてはいけません。それでしたら、自らの罪を認め、最小限の刑で済ませる、というのも手ではないですか」

「自首しろということですか」

「いえ、まず、運転免許を取得します」稲垣さんが言うので、僕は驚く。稲垣さんと向かい合う婦人も目を丸くした。手元の湯飲みに手を伸ばしかけていたが、それを止めた。

「免許を取得したら車を購入し、運転をしましょう。下手であるのが望ましいですね」

「どうするんですか」

「その相手を轢《ひ》いてしまうんですよ」

「え？」

「初心者の引き起こした、交通事故、それでいいじゃないですか。交通事故の罪は、自動車運転過失致死となります。交通関係の過失罪は、八割以上が起訴猶予《ゆうよ》となっているのが現状です。さまざまな事情がありますが、通常の傷害罪や殺人罪に比べると扱いが異なるのです。しかも、起訴され、罰を受けるにしても、自動車運転過失致死は、一番重くても、懲役七年です。九割以上が懲役三年以下となっていますし、執行猶予がつく可能性も相当に高い。傷害罪の最高刑が、懲役十五年というのと比べるとまるで違います。あなたは、殺人犯でもなければ、傷害犯でもなく、ただの、初心者運転で親しい近隣住人を轢いてしまうだけなんですよ」

「ああ、そうなんですか」

「悪質な運転ですと今は、危険運転致死傷と見なされ、こちらは最大二十年の懲役刑があります。くれぐれもそうはならぬように、飲酒運転や信号無視には気をつけ、あくまでも運転ミスに徹してください」

「わたし、運動とか苦手なんです。車の運転なんて、この年で習えますかね」

そっちのほうの心配かよ、と僕は呆《あき》れる。

「何でしたら、事前に簡単な運転方法を教えてさしあげますよ。この駐車場で深夜に練習してもいいでしょう」稲垣さんは言い、壁に貼られた例の、『協力いたし〼』という紙を指差し、微笑んだ。こんな体型の私ですら運転できるのですから大丈夫ですよ、と優しいことも言った。

「はい」女は少し目を輝かせた、ように僕には見えた。さっそく免許を取得することに専念します、と大きくうなずき、財布から札を取り出し、稲垣さんに渡し、いそいそと帰った。

「本当っすか」と僕は、その後で稲垣さんに訊ねた。「交通事故の量刑ってそんなに甘いんですか？」

「甘いかどうかは分からないけれど、被害者にとっては納得がいかないようにできているのは確かですよ。保険に入っていれば罪が軽くなる、反省していれば罪が軽くなる、というのは変な話ですし、反省していなかったとしても、刑は緩いです」

「どうしてそんな理不尽なことになってるんでしょうね」

「たぶん」と稲垣さんは自分の腹をぽんと叩《たた》いた。「法律を作った当初は、まさか、酒を飲んだ状態で危ない運転をするような馬鹿《ばか》がそんなにいるとは想定していなかったんじゃないですか？　それに、交通事故の場合は、どんなに偉い人でも、いつ、加害者の側になるか分かりませんから、刑を重くするのにためらいがあるのかもしれません」

「そんなもんですか」

「私自身は、刑罰を重くしない限り、事故は減らないと思います。事故ならまだ、同情すべき点はありますが、飲酒して車に乗るのは事故じゃないですよ」

「でも、殺人を唆《そそのか》していいんですか？」

「商売ですから」と稲垣さんはあっさりと言うだけで、申し訳なさそうな素振りはまるで見せなかった。

そろそろ眠りますか、と稲垣さんが言い、プレハブの電気を消そうとした時、僕は、「まだ、一日目ですが、少し分かったことがあります」と話した。

「何でしょう」電気スイッチが押され、プレハブ内が暗くなる。稲垣さんは駐車場に出るため、ドアノブを握っていた。

「稲垣さんの助言の多くは、何か別のもののせいにする、というものですね」僕は笑う。「赤ん坊のせいにしましょう。コンピューターウィルスのせいにしましょう。未熟な運転のせいにしましょう、という感じで」

稲垣さんは、「素晴らしいですよ、浜田君。その通りです」と言った。お世辞とは思えない口調だったので、僕は嬉しかった。褒められることなど久しぶりだった。

6

僕はプレハブで寝泊りをしていたが、稲垣さんは駐車場の車で寝ていた。真っ赤な車体の、運転席と助手席があり、後ろは長い荷台となっているピックアップトラックだ。真っ赤なピックアップトラックは、颯爽《さっそう》とした恰好良《かっこよ》さがあった。夜になり、相談客がいなくなると稲垣さんは、「じゃあ、おやすみ」と言い、荷台へ上っていく。その体重でぎしぎしと車体が揺れる。本来であれば、僕のほうが屋外で眠るべきに思えたのだが、稲垣さんは譲らなかった。「外で君が寝ていたら、誰かに目撃されてしまうかもしれません」というのが理由だった。「浜田君が来るまでもね、私はここで寝ていたんですよ」とも言った。夜が真上にあって、それを眺めながら眠るなんて、贅沢ですよ、と。「今はまだ、暖かいですし、さすがに冬はやりません」

助手をはじめて五日目の朝、布団から起きるとすでに稲垣さんがいて、ポットをいじり、お茶を入れていた。

立ち上がり、靴に足を入れると、「どこへ行きますか」と訊ねてくる。トイレに、と言うと、「じゃあ、私も付き合いますよ」と稲垣さんもついてきた。

〈スーパーホイホイ〉の店舗脇にあるトイレまで、二人で並んで歩いた。

「そういえば、浜田君、どこからこの蝦蟇倉市に来たんですか？」稲垣さんは駐車場にある、僕の乗ってきた銀のセダンを指差した。

いまさらといえば、いまさらの質問に思えた。「南のほう。正確に言えば、南西ですかね。県外から来ました」

スーパーはまだ開店準備中であったが、入り口外の公衆トイレには自由に出入りできた。二人で小便器の前に立つ。

無言で並んでいるのも気まずくて僕は、「あの、弓投《ゆみな》げの崖《がけ》ってどんなところなんですか」と言ってみた。来る時に看板を見たんですが、まだ、行ってないんです、と。

「あそこはとても気分がいいですよ。崖に立って見ると海が一面に広がっていますし、見下ろせば、飛沫《しぶき》を上げる波がまた美しいんです」

「今度、プレハブから解放されたら、見に行こうかな」僕は小便を終え、チャックを閉め、便器から遠ざかる。

「ただね、車を運転して行く時は気をつけたほうがいいですよ。事故が多いんです。トンネルとカーブが近くにあって」

洗面台で手を洗っていると、稲垣さんも遅れてやってきた。二人で、鏡の前に立つ。

「そういえば、ひと月ほど前ですが面白いことがあったんですよ」

「面白い話は好きです」僕はハンカチを持っていないので、手を振って、水を払った。

「弓投げの崖まで自転車に乗っていって、その景色を楽しんでいたんですが、帰りにトンネルの脇に人がいたんです」稲垣さんはハンカチを持っていた。「身を隠すようにしていたので、不思議に思い、観察したのですが、どうやら目が見えないようでして」

「目が？」

「ええ、おそらく両目ともに。思えば、その数ヶ月前に交通事故で失明した方がいた、という話を聞いたような覚えもありまして」

「そんな人がどうしてそこに」

「人を殺す気だったようです」

「はい？」聞き間違いかと思った。人を殺したい婦人もいれば、人を殺す男もいる。この町はどうなっているのだ。「本当っすか」

「もう一人、別な男がいましてね、確か若い男だったんですが、それに目の見えない彼が近寄って、石かブロックで殴りつけようとしていたんです」

「目が見えないのに？」

「ええ」

無茶だ、と僕は思う。

二人でトイレから出て、再び、プレハブに戻る時もその話は続いた。

「それで、稲垣さんはどうしたんです」

「手助けするにも私のこの身体《からだ》では、俊敏に動けませんからね、仕方がないので、目の見えない彼のために、標的の居場所を声を出して、教えてあげましたよ。『もっと右だ』『もう少し前だ』と」

「何でまた、そんなことを」

「だって、目が見えないんですよ？　一人では難しいではないですか」

「そうではなくて、何でまた手助けなんかをしたんですか。相談されたわけでもないでしょうに」

稲垣さんはきょとんとした表情で歩みを止めた。急停止に、身体の脂肪がぶるぶると震えているようだ。「困っている人がいると、助言したくなるんですよ。職業病でしょうかね」

7

プレハブで過ごしているうちに、あっという間に一週間が経《た》ち、今、僕の目の前で、稲垣さんが、コーヒーカップの最後の一滴を飲み干し、「いよいよ、例のお客が来ますよ」と言った。

「本当っすか」

僕は、稲垣さんが机に置いた一日前の夕刊の記事から目を離した。

「一週間経ちましたから」と前髪を払った。稲垣さんは僕の返事に笑いつつ、その鋭い目で、太い腕に巻いた時計を見やり、「そろそろですよ」とうなずいた。

「この町の人なんですか」

「来れば分かります」

「どういう相談で来るんですか」僕は自分の恰好を見下ろした。白のTシャツに、色の落ちたブーツカットのジーンズ、こんな軽装の自分に助言を求める人間がいるだろうか、と首を捻《ひね》りたくなる。「こんなことを言うと恥ずかしいですが、正直なところ、この一週間、あまり学べなかったような気がします」

「大丈夫ですよ」

その、無責任ともいえる大々的な信頼はどこから生まれているのか、と僕は呆れた。いつも稲垣さんが座っている場所に、僕は腰を下ろした。背後のカメラが一瞬、気になったが、顔が映るわけでもないしな、とは思った。

稲垣さんがプレハブから出て、ドアが閉まると静まり返った。すぐに反対側のドアから隣の部屋へ、稲垣さんが入っていくのだろう、と思ったのだけれどその音がしない。客の入ってくるドアの正面に座りながら、両手を膝《ひざ》の上に置き、息を吸う。ゆっくりと息を吐く。さて、どうしたものか、とテーブルの上で指遊びをしながら、考える。

頭の中で、今まで眺めてきた稲垣さんの仕事の段取りを反芻《はんすう》し、言うべき台詞《せりふ》を小声で呟《つぶや》いていると、時間はあっという間に過ぎた。壁の上にかかる時計の針が音を立て、午後三時を示した。

ちょうど同じタイミングで、ドアのノブが回った。

いらっしゃいませ、と挨拶《あいさつ》を口にする。ちょっとタイミングが早かったかな、と途中で止める。

よっこらしょ、という掛け声とともに億劫《おっくう》そうに入ってきたのは、稲垣さんだった。プレハブの床を軋《きし》ませた。

「稲垣さん」と僕は当然ながら、訊ねる。「どうしたんですか？」

けれど稲垣さんはあたかも初対面の客のように、他人行儀な素振りで、向かいの席に腰を下ろした。

「稲垣さん、どうしたんですか」

「相談があるんですよ」稲垣さんは目にかかる前髪を、さっと右手で払った。

僕は、どこまでが冗談でどこまでが本気なのか分からず、言葉を探す。壁の時計の秒針の音が、僕を小刻みに突いてくる。

「浜田君のご両親は、とても裕福だと聞きました」稲垣さんはその二重瞼の大きな目を向けてくる。

どうしてそれを、と僕は小声で訊《き》き返す。

「裕福な家庭で育った青年が、精神的にも豊かかと言えばそうではないんでしょうね。私もそれくらいは想像できます。浜田君の家はどこでしたっけ？」

「東京ですよ」と僕は答える。そう、確か東京だった、と。

「浜田君は家出をしたんですね」

「ええ」僕は認める。

「おそらく、車で一人旅するよう唆されたのでしょう。車を走らせ、そして、蝦蟇倉市に浜田青年はやってきた」

「なるほど」僕は手をテーブルに置く。そして、自分の頭の中を整理しつつ、「稲垣さん、教えてほしいんですが」と言ってみた。

「今日は、君が答える予定なんですけど」稲垣さんは歯を見せたが、拒む様子ではなかった。その表情は、訊いてください、私も答えますから、君も答えてください、と促すようでもある。

「今日、あるお客がやってくるので僕が代役をする、というあれは、嘘なんですか？」

そうでなかったら、ここで稲垣さんと喋《しゃべ》っているわけにもいかないはずだ。

「ええ」と稲垣さんは首肯する。「あれは嘘でした。君に一週間、ここにいてほしくて、嘘をつきました」

「僕に？」

「誰とも連絡がつかない場所で、言ってしまえば君を、ここに閉じ込めていたかったんですよ」

「どういう意味があって」僕は予想外の答えに驚いていた。

「実はですね」稲垣さんは照れ臭そうだった。こめかみを掻《か》く。相談屋のプライドや気概が覗くようでもある。「一ヶ月ほど前なのですが、相談があったんですよ」

「相談ですか」

「ええ。『誘拐した人質を、どこかで安全に監禁する方法はないか』と」

僕は頭の中で必死に、情報を整理し、本当っすか、と繰り返していた。非日常的な出来事や話には比較的、慣れているつもりだったのだけれど、あまりにも予想外のところから槍《やり》で突かれた、そんな感覚だった。

一方で自分の置かれている状況に、納得しはじめてもいた。

「裕福な家からお金を奪いたい。そのためには、息子を誘拐したい。ただ、その人質をどこに閉じ込めておくべきか分からないし、さらには、いい年をした若者を無理やり監禁するのは、乱暴であるし、非人道的だ、とその相談客は悩んでいたんです」

「誘拐犯が、ですか」

「だから私はこう助言をしてあげました。一番、望ましいのは、その人質自身が、自分が人質だということを知らないままに、一定期間行動を制限されることです、と。たとえば新薬の実験アルバイトでも、連絡手段の乏しい土地での肉体労働でも、海外旅行でもいいのですが、とにかくその期間、あることに専念させればいいのです、と」

「それがもしかすると」僕も察しがつきはじめ、と同時に落ち着きも取り戻しはじめた。

「ええ」稲垣さんが自分の腹の贅肉《ぜいにく》を触る。「私はあくまでもアイディアを話しただけだったのですが、そこで相談客は、私にその役をお願いしてきました。言い出しっぺなのだから、やってみせてくれ、と」稲垣さんは、壁の、『協力いたし〼《ます》』を見やる。「一週間、人質を預かってほしい、と。方法は任せるけれど、危害を加えず、相手に恐怖を与えず、できることならば人質だということも悟られないように、どこかに閉じ込めてくれないか。彼は、もしかすると彼ら、かもしれませんが、とにかくその一週間で、家の人間と取引をしてお金を奪うつもりのようでした。で、私はその依頼を受けたわけです。その人質にしたい人間を、この町まで寄越してくれれば、やりますよ、と」

「本当っすか」

「浜田君は、蝦蟇倉市のこの町に来て、私のこのプレハブを訪れるように言われたはずです。実は、私はこの町のホテルの人に事前にお願いをし、浜田君と思《おぼ》しき人が宿泊したら教えてもらうようにもしていました。そうすれば、こちらも準備がしやすいと思っていたんです」

「僕は、ホテルで名前を書いたし、クレジットカードも使った」

「ええ。ただ、君はなかなか、このプレハブにやってこなかった。おかしいな、と不思議に思っていたんです」

「僕は知らなかったから。この町に来ることは聞いていたんですが、プレハブのことまでは」

「そうでしたか」稲垣さんが少し意外そうに言った。「で、君がここを通ったのを機会に私から声をかけてみることにしたんです」

「何も知らない僕は一週間、ここで寝泊りをしていて」

「代役を頼むと言えば、必死にモニターを見るだろうし、外部と連絡を取ろうともしないのではないかな、と考えました」

稲垣さんがトラックの荷台で夜空を見上げながら眠っていたのは、プレハブで寝泊りしている僕が勝手に出かけないか、監視する目的もあったのかもしれない。

「それで、一週間経ったわけですね」

「ええ」稲垣さんが顎を引く。そうすると首のまわりで肉が膨らむ。「本当であれば、一週間経った今、私はここで、『これで助手の仕事はおしまいです』と言って君を解放し、人質期間は終了というはずでした。君が別の場所へ行こうが、この町に留まろうが自由ですし、おそらくは身代金《みのしろきん》の受け渡しは無事に終わっていたことでしょう」

「でも、そうはならなかったんですね」

稲垣さんの表情が残念そうに歪《ゆが》み、そのことが僕には残念だった。申し訳ない気分に襲われる。

「昨晩なのですが、眠ろうとした際、風で飛んできたのか荷台に新聞が落ちていたんですよ。その夕刊です」と彼は、僕が先ほどまで目を通していた新聞を指した。「そこに、この隣の県の渓谷で、死体が発見された、という記事が載っていたんです。身元はすでに判明していました」

僕は鼻を擦《こす》り、肩をすくめる。「こんなに早く発見されるとは思いませんでした」

「浜田君は、この町に来る以前に殺されていたわけです」

「そうですね」

「君は、何者なんですか？」稲垣さんが、僕に質問してきた。

あまり偉そうに言えたものではないんですが、と僕は自分の仕事を説明する。本来であれば、フィクションの中にしかいちゃいけないとは思うのですが、依頼殺人を生業《なりわい》としているんです、と。

「では」稲垣さんは、僕に聞くまでもなく、答えを知っているようにも見えた。「浜田君を殺害したのも、依頼されたからですか」

「もちろんです」僕は少し強調した。「自分のために人を殺害したりしませんよ」矜持《きようじ》がある、というわけではなかったのだが、ただ、好き好んで殺人に手を出していると思われたくはなかった。「仕事というのはどんなものでも、楽しくはありません」

プレハブの中には、余計な物はないが、実質的な空間としては相当、狭い。ただ、そうであるにもかかわらず、今の僕は、とても広大な室内で、たとえばまさに、〈スーパーホイホイ〉の駐車場さながらの、無駄な広さを持つ部屋の中で、稲垣さんとぽつんと顔をつき合わせている気分だった。背中と壁の間には数メートルもの距離があるかのようだ。

仕事の依頼を受けたのは、半月前だった。依頼者は中年の男性で、浜田青年を殺害してほしい、と言ってきた。「彼はこれから、家出をし、北へ向かうはずなのでその道中でどうにか殺してほしい」とそこまで指定してきた。

僕は、浜田青年の後を追い、山道に入ったところで車の故障を装《よそお》い、彼の車に同乗した。乗せてもらって助かりましたよ、とお礼も言った。彼を殺害したのは、川のせせらぎが木々に響く、美しい渓谷でのことだったが、それまでの間、僕は、浜田青年と世間話を交わした。殺害する相手とその最後の数日、一緒に話をするのが僕は好きだった。浜田青年は自分の家、特に両親に対する愚痴を零《こぼ》し、自分の人生はスカばかりだ、と嘆いた。本当にスカばっかり、本当スカばかり、と何度も呟いた。僕は彼の送ってきた人生について何も知らなかったが、終わり方からすれば確かに、本当スカ、と言えなくもなかった。

「僕は、彼の車を使い、カードを使い、生活し、ここまで来ました。これはいつものやり方なんです。浜田青年がまだ生きているように見せかけられますし、自分の金は使わずに済みますし、好都合なんです」

「死体が見つからなければ、ですね」

「見つからない予定だったんですよ。人がほとんど足を踏み入れない場所に置いてきましたから。僕の経験からすれば、一ヶ月は発見されないはずでした」

鰐さえいなければ、と僕が続けると、稲垣さんは、やはりそうでしたか、と同情してくれた。数日前、隣県で鰐が逃げたというニュースを稲垣さんが口にした時、僕はまさかそれが、自分が浜田青年の死体を捨てた場所と同じ山の中の事件とは思いもしなかった。先ほど僕が読んだ夕刊には、「ワニ捜索中に、他殺体を発見」と見出しがある。

「予想外でした」僕は言う。

稲垣さんが、「これは私の勘ですが」と言ったのはその後だった。

「何ですか」

「君にその依頼をしたのは、私に誘拐の相談をしてきた人と同じかもしれませんね」

すぐには返事をしなかった。

「実は、その死体発見の記事を読んで、相談者に連絡を取ろうとしたのですが、繋《つな》がりませんでした。本当でしたら今日、浜田君を解放することについて確認の電話がある予定だったのですが、それもありません」

「可能性はありますね」

「理由は分かりませんが、誘拐は諦《あきら》めて、単に殺害するだけにしたのかもしれないですね」稲垣さんが言う。

「僕もそう思います」

「そして、これも勘なのですが」と稲垣さんは続けた。

にした。

「その依頼人は、私のことも殺害するように依頼しませんでしたか」稲垣さんは世間話をするかのように、あっさりと言った。だから僕も、「そうですね」と認めることにした。

依頼人は、浜田青年の殺害と、蝦蟇倉市にいる稲垣さんの殺害を頼んできた。だから僕は、浜田青年を渓谷で殺害した後、ここにやってきた。どうやって接触しようかと考えていたところ、稲垣さんのほうから声をかけてきたので、僕は驚いてしまった。顔を見た瞬間、「あ」と声を発してしまったのはそのせいだった。依頼人から受け取った写真そのままだった。

「依頼主の事情や気持ちは分かりませんが、確かに依頼されました」

「私は、彼が誘拐の相談に来たことを知ってますからね。怖くなったのかもしれません」稲垣さんは淡々と喋る。「口封じをしたくなる気持ちも分からないではないです」

そうですか、と僕は曖昧《あいまい》に相槌《あいづち》を打つ。

「で、どうしますか」稲垣さんが自分の腹を太鼓のように何度か叩いた。滑稽《こっけい》な、軽やかな音が鳴った。

「どうしますか、と言いますと」

「ええ」

「私はどうすればいいですか」

僕は腕を組み、稲垣さんと向かい合い、しばらく首を捻る。「どうしましょうか」と正直に漏らした。「迷っています」

「迷うことはないですよ」稲垣さんの言葉のどこまでが本心なのか、僕には量れなかった。「私が、君だったら」と眉を上げた。「私のことはさっさと殺害し、私のピックアップトラックに乗って、一気にここを離れますよ」

「本当っすか」そのことを考えなかった、といえば嘘《うそ》になる。

稲垣さんは顔をくしゃっとさせ、幼い表情になった。「お客さんのためになるのなら、私は構いませんよ。そこにもあるでしょう」稲垣さんは、壁に人差し指を向けた。

『協力いたし〼』。

僕は苦笑した。

「私を殺害した後で、私の頭を切断してみるのもいいかもしれません」

「え」

「変な犯罪の多いこの町では、変な犯罪ほど目立たないんです。だから、不可解な状態をあえて作ってみるんです」

稲垣さんの顔をまじまじと見つめた。いつも通りに泰然自若としている。はあ、と僕は息を吐く。人を殺害することにためらいはなく、それは相手が稲垣さんでも同様だった。仕事であるのだから、依頼されたことは遂行するのが当然でもあった。一週間、一緒にいたことで、稲垣さんへの愛着が湧《わ》いた、というわけではなかったから、僕としては、「何を躊躇《ちゅうちょ》しているのだ」という疑問を感じてもいる。

「何を躊躇しているんですか」と稲垣さんが訊《たず》ねた。

「いっそのこと、一緒に別の町へ行きませんか？」

「一緒に？」

「相談したい人はきっと、どこにでもいますし、僕の相談にも乗ってほしい気がします」

稲垣さんはそこで、僕を哀れむような目で見た。「依頼された仕事はしっかり遂行しないといけませんよ」

「僕は前に稲垣さんが言った、いい加減なプロ、の部類なんですよ。プロというよりは趣味に近いほうの」

それは感心できません、と稲垣さんは首を横に振る。「もう一度だけ言いますが、私が、君に助言できることは一つだけです。依頼された仕事を全《まっと》うすべく、私を殺害し、あの赤い車で別の町へ行くべきです」

そうですか、と僕は応《こた》えた。

そうです、と彼は断定し、その後で、「希望を言わせてもらえば」と笑う。「私の死体は、弓投げの崖から、海へと流してくれませんか」

8

真っ赤なピックアップトラックは、蝦蟇骨スカイラインに出て、速度を上げた。アクセルを踏むと、エンジンの唸《うな》りとともに威勢良く、加速する。

トンネルに飛び込んだ。中は薄暗く、先行き不明の不穏さを充満させている。その暗さの中、まっすぐに伸びたフロントライトのぼんやりとした明るさを見つめ、疾走する。

トンネルの向こうには、弓投げの崖がある。

穴の向こう側に見える景色が、次第に近づき、そしてやがて、外に出た。産道を抜ける新生児だ、と僕は思った。車内の響きが変わる。タイヤが地面を擦る音も変化する。

緩やかな坂になっていたせいか、車体が一瞬、浮き上がった。視線を上げる。崖のずっと遠く、空の下に、色素が沈澱《ちんでん》したような青い帯があった。

海だ。

弓投げの崖に寄っていったほうがいいですかね。

それ、相談ですか？

赤のピックアップトラックは、地面に再び着地し、車体をずしんと揺らした。再びタイヤが地面をつかむと、速度を増し、走る。

ギア

タイヤは荒地の赤土を削るように回転する。広漠としたその土地をワゴンが走っていく。土がぽろぽろと飛び、摩擦で煙が湯気のように昇る。

上から見下ろせば、東から北西の方角へ、蛇行しながらも一気に走っていくのが分かる。何もない土地に、対角線を削ろうとしているかのようだ。運転手は、地面の揺れにハンドルを奪われまいと手に力を込めていた。

フォルクスワーゲン社の、愛くるしいワーゲンバスに似たデザインだが、こちらのワゴンのほうが若干、広い。縦に長く、バスに近い。車体の右先頭に運転席があり、左手には折りたたまれる形式の出入り口があった。その後ろ、通路を挟むようにして窓際《まどぎわ》に、一人用の椅子《いす》が二席ずつ、つまり、左右あわせて四席が用意され、さらに最後尾が横長の座席となっていた。

通り過ぎた道を振り返った蓬田《よもぎだ》は、行く道も来た道もほとんど変わりのない荒野、風景というにはあまりに無味乾燥の大地に過ぎないことを確認し、「数ヶ月で町が消えたりするのだろうか」と疑問を口に出さずにいられない。もちろん、蓬田はその答えを知っている。

数ヶ月で町は消えてしまったのだ。

自分の前の運転席に、「ここ、どこですか」と声をかける。荒々しく震動するワゴンの揺れに弾《はじ》き飛ばされないように、目の前の手すりをジェットコースターの安全バーさながらに、つかむ。

返事がない。

「どうして、俺を乗せてくれたんですか」

乗せたのに意味なんてないですよ、というよりもバスじゃないんだから、運転手って呼ばないでくださいよ、と運転手は表情なく言い返してくる。

「でも、運転してるんですから」蓬田は左に上半身を傾け、運転席を覗《のぞ》き込む。大きめのハンドルを胸で抱えている。長髪だった。長く黒く、見ようによっては汚らしい髪だ。仙人か、ジョン・レノンか、自称芸術家の変人か、そういう髪だ。

運転手は大きい靴でアクセルを、ほとんどべったりと踏んでいるようだが、何キロ出ているのだろう。蓬田の場所からは、速度計は見えない。

フロントガラスを見やる。フロントガラスの向こう、だ。何がある。未来か。いや。道か。いや。延々と広がる、荒野だ。でかい道と言えなくもないが、言うにはやはり無理がある。赤茶色に乾いた、荒れ果てた地面が続いている。砂とも土ともつかない、からっからのチーズに似た地面が広がっている。気泡のような穴がところどころにあった。草木はない。遠方に見える岩山の壁が、だらだらと移動しつつ、ワゴンを監視しているようにも見えた。

「五反田、品川、銀座と進んで、その先が荒野だなんて、地理を完全に無視してるし」

蓬田の席とは、通路を挟んで反対側の座席に座る少年が言った。手に持った携帯ゲーム機、ゲームギアアドバンスをじっと見たまま、顔も上げず、だった。

「おい、おまえ」運転手が鋭く言った。「自分の目に映る光景と、目に見えない情報のどちらを信じるんだよ」

「あんまり話しかけないで。今、大事なところなんだから」

「こうやって逃げていること以上に、大事なことってのがあるのかよ」

「目に映るゲーム画面と、目に見えないものから逃げているのと、どっちが大事なのかって、どうしてそんな話になるんだよ」少年は早口で言った。

蓬田はやり取りを聞きながら、両腕を上に伸ばした。うーん、と呻《うめ》き、身体《からだ》の節々を開き、血を指の先々にまで行き届かせる。手のひらを太陽にすかしてみる。流れる僕の血潮はさほど赤くない。

ワゴンが震動し、尻《しり》が揺れる。

車内に乗っているのは全員、壊れた街を歩いている時に、運転手に拾われた。全員が全員と面識がない。車内の一番左前方には、餓鬼の如《ごと》き少年がゲームギアアドバンスをいじくり、その後ろにOLらしき女が座っている。さらに背後の横長シートには、スキンヘッドの男がいて詩集を読んでいて、定期的にぼそぼそと、「もっと光を」と呟《つぶや》いている。読書灯をつけろ、という要望にも聞こえるが、車内に装備はなかった。その脇《わき》には背広の男がいて、その隣に白髪の男が座っていた。

白髪の男は思い出したかのように時折、意味不明な言葉を喚《わめ》き、背広の男がそのたび、「まあまあ、いいじゃないですか」と宥《なだ》めた。実直な会社員に見えたから、おそらく、交渉やトラブル、和平に慣れているのかもしれない。右側の窓際席には、買い物袋を持った婦人がいて、その前の席が蓬田だった。

振り返ると、後部シートの白髪の男が前のめりになるようにして、口のまわりに唾《つば》を溜《た》めていた。顔は赤い。白色に染まった髪は散切《ざんぎ》りだ。小鼻が乾燥し、皮膚がめくれてもいる。「運転手の馬鹿《ばか》。俺を誰だと思ってるんだ」と言い、経歴を列挙しはじめる。企業名と役職を高らかに述べた。

「まあまあ」と背広の男が宥める。「いいじゃないですか」

「もっと光を」とスキンヘッドが呟く。

蓬田は座席から尻を持ち上げ、運転席を窺《うかが》った。何か言ってますよ、どういたしましょうか、と阿《おもね》るつもりもなかったが訊《たず》ねた。運転手はミラーを見て、そして何を言うのかと思ったら、何も言わなかった。ハンドルから右手を離し、窓の側に立てかけてあった銃をつかむと左手に持ち直し、ぐいっと蓬田に向けた。

「何ですかこれ」

「ナチスドイツの使っていたハーネルＳＴＧですよ。突撃銃ってやつです」

「そうじゃなくて」

「勘で撃てますよ」

蓬田は理由は分からないが、受け取らなければならないような、圧迫感を覚えた。

銃は横から眺めれば、壊れた「π」のような形をしている。脚と言うべきなのか柄と言うべきなのか、銃口に近い長いほうを左手でつかみ、右手は後方の部分を握った。

右手の人差し指を引き金にかける。無意識のうちに右目を瞑《つむ》り、左目を銃に沿って前方を見やるように、照準を合わせた。

「五月蠅《うるさ》い人間は撃ってください」運転手は淡々としていた。

「はあ」

「運転の邪魔になりますし、走るのに邪魔です」

するとそこで白髪の男が完全にシートを立って、両手を上げ、人間に襲い掛かる怪物さながらの恰好《かっこう》で、喚いた。「その銃は何だ。おい、だいたいこれ、どこに向かってるんだよ」と蓬田に苦情を言いはじめた。

「席に座ってください」

「ふざけんなよ。いいか、もう世の中おしまいなんだよ」

音が鳴る。反動で腕が揺れる。耳が痛い。飛沫《しぶき》が飛ぶような、粘着質の音が遠くで聞こえる。

はっと顔を上げ、銃弾の行方を確認した。

他の乗客に悲鳴はなかった。撃たれた白髪の男も例外ではなく、悲鳴を上げていなかった。見れば、怒りの鉄槌《てっつい》を天に掲げんという恰好で拳《こぶし》を握ったまま、胸から腹にかけて真っ赤に染めている。左右の窓ガラスにも血が飛び散り、両脇にいた人たちにも少し飛んだ。ちょっと血、とOLがコートを見て、怒った。これどこのブランドだと思ってるの。「血がついたら、台無しでしょ」

白髪の男は自分の座っていた場所に、どん、と倒れ、背をつける。がっくりとうな垂れ、窓に顔を向けた。流血さえなければ、大人しい乗り物酔いの乗客に見える。

「よく撃ってくれました。命中ですね」運転手がバックミラー越しに、蓬田を見る。淡々とし、眉《まゆ》一つ動かさない様子だ。

人が一人撃たれて、軽くなったわけでもあるまいに、ワゴンは一気に速度を上げた。荒地の土を踏んだのか、右側が弾み、揺れる。蓬田は手に持った突撃銃をどうしたものか、と持て余しながら、ゆっくりと座席に腰を下ろした。「雉《きじ》も鳴かずば撃たれまい」左側の座席でゲームギアアドバンスをいじくる少年が、そんなことをぽつりと呟く。

「もっと光を」

「まあまあ、いいじゃないですか」

ワゴンはさらに三十分ほど荒地を進んだ。それは当然のことで、荒地をどれだけ進もうと、その先には荒地しかない。

銃で撃たれた男の血の臭《にお》いが車内を満たし、車の揺れもあったため、蓬田は胃にむかむかとした不快感を覚え、気づくと口の中に酸味の唾が溢《あふ》れ、嘔吐《おうと》したくなる。こらえ、深呼吸を繰り返す。窓の外を見て、冷静に冷静に、落ち着いて落ち着いて、と自身に言い聞かせるが、よけいにくらくらとする。

「退屈です」と後ろの座席の誰かが大声を出した。蓬田はぎくりとした。ぎくりとしたついでに、吐き気がこみ上げる。その一方で、もしかするとまた運転手が、「五月蝿い人間は撃ってください」と指示を出してくるのではないかと怖くなった。

「そういえばわたしね」婦人が声を発した。「わたし、宇宙人に襲われたことがあるのよ！」

半信半疑で大半の者たちが聞き流そうとしていたが、背広の男が、「本当ですか？」と儀礼的に相槌《あいづち》を打ったので、婦人はまくし立てた。

ほら、ここに細い傷跡があるでしょう、と右手首を掲げ、袖《そで》をめくった。この細い傷って、四年くらい前にいつの間にかついていたんだけど、今の医学じゃこんな細く縫うのは無理なんですって。夜中、わたしが眠っている間に宇宙人が、これをやったのよ。

「これって何をですか」背広の男が質問すると、油を注がれた火の如く、婦人はさらに早口になって、「インプラントよ」と言った。

「誘拐して、宇宙船でわたしを解剖して、いろいろ調べたのよ。それで、装置を手首に埋め込んで、いろいろ調べてるの」

「何のために？」少年が明らかに小馬鹿にした声を出した。「何で、おばさんのことを調べてるわけ」

「人間のことを調べて、それを参考にして、地球を支配するつもりなのよ」婦人はもう、憶測や妄想を話すのではなく、確かな事実を宣言する迫力だった。

「絶対ないから、そんなの」少年が鼻で笑う。

「もっと宇宙人を」

「まあまあ、いいじゃないですか」

「何よじゃあ、嘘《うそ》だって言うの？　それなら、うちの旦那《だんな》が四年前から、わたしとセックスしなくなったのは何でなの？　説明がつく？　宇宙人がわたしを調べたからなのよ。だから、旦那も変になったのよ。おかしいじゃない、説明がつかないじゃない」

それはたぶん、あなたがそんな発言をするようになったから、旦那さんも怖くなったんでしょうに、と蓬田は思う。背後で喚く婦人の唾が、自分の襟首に飛んだ気がして、不快感を覚える。

「もっとセックスを」

「でも、戦略としては合ってますよ」と大きな、通る声を出したのは運転手だった。急にどうしてこちらの話題に入ってくるのか、と驚いたが、長髪を掻《か》きながら彼は、「敵を調査して、弱点を調べて、一気に支配する、というのは戦略としては、ありですよ」と続けた。

「でしょー」婦人は満足げだった。

その、運転手がやがて、「こういう言葉を知ってますか?」と言い出した。「喋《しゃべ》るよりは運転に専念してほしいんだけれど」蓬田は言うが、声があまりに小さく、届かない。

「突然、何」少年が不満げに口を尖《とが》らせた。目はゲーム機に向いたまま、指は器用に動く。

「運転に専念してください」後ろから、背広の男が生真面目《きまじめ》な口ぶりで、発言した。

「まあまあ、運転手さんにも気分転換は必要ですよ」蓬田は迎合する。

「ゴキブリを一匹見たら、十匹いる、という言葉を知っていますか」運転手は淡々と続けた。バスではない、と言ったにもかかわらず、車内にはマイクがついており、運転手の彼の言葉が統治者の発するような厳かな響きで、大きく鳴る。

ワゴンは荒地を疾走する。左右に強く揺れ、窓の外の景色も当然ながら揺れ、白髪男の死体のおでこがガラスに当たる音がした。

「それって何？　豆知識？　格言？　ことわざ？」少年が高らかに言い返す。労働とは無縁の高校生が、インターネットとテレビで仕入れた情報を元に、先生、世の中は不景気だし必死に勉強したところで高が知れてるじゃないですか、たとえいい企業に就職しても未来は分からないですし、それならば好きなことをやって自分の人生を楽しんだほうがよっぽど賢いじゃないですか、何でもググれば分かるじゃないですか、と抗弁するのと似ていた。おまえがググって分かることは大人にもググれば分かるんだから、立場は同じだろうが、とは大人は言わない。

「一匹見たら十四いる、っていう言い方って変だと思いませんか？」運転手は説明を続けた。「その理屈からすると、二匹見たら二十四いるということでしょうか。それとも十四のうちの二匹目だと解釈すればいいんでしょうか。そのあたりが曖昧《あいまい》に思えるんですよね」

「まあ、そうですね」蓬田は相槌を打つ。

「でも、実は、一匹見たら十匹いる、という原則通りの生き物がいるんですよ」

「原則通りの？」

「そいつは、一匹いたら、絶対十匹いるんですよ。二匹いたら、二十匹。絶対揺るぎません。そういう生き物です」

「よく分からないけれど、二匹いたとしても十匹のうちの二匹ってことはないんですか？」

「ええ、一匹見かけたら全部で十匹、二匹で二十匹です」

「それは何ですか？」蓬田は運転席を覗く。

セミンゴですよ。

運転手は言った。

正方形の部屋を想像してください。部屋は床と天井、四枚の壁で囲まれた箱で、そういう意味では、正方形ではなく、立方体と言うべきかもしれません。部屋の内壁は鏡張りです。鏡に跳ね返った光がさらに鏡に反射し、それがまた跳ね返り、と延々と光の交換が壁同士で行われるような部屋になっています。

何畳か？　何坪か？　それは後回しにしましょう。とにかくその部屋に、縦に三匹、横に三匹、三×三の九匹の生物がいます。棲《す》んでいるわけです。部屋にみっちり詰まっていて、そうですね、隙間《すきま》はほとんどありません。

その動物がセミンゴです。セミンゴはその室内で、三×三の並びで、直立不動のままでいます。

直立不動で何をしているのか？

生きています。

全員同じ方向を向いているのか？

違います。

九匹は同じ方角に視線をやっているわけではありません。たとえば、上からその部屋を見下ろし、平面として表すならば、一番左下にいるセミンゴは上を向いています。その上のセミンゴも上を向いていて、さらにその上、つまり部屋の左上のセミンゴは右を見ています。右隣、つまり上から見て、真ん中の一番上にいるセミンゴは下を向いています。その下のセミンゴは下を、さらに下のセミンゴは右を、右隣のセミンゴは上、その上は上、その上も上を見ています。彼らの視線の方向に線を引いていくと、「N」の字が描けるような形です。

もちろん、セミンゴは生きています。当然です。死んでいたら、お話になりません。ぎゅう詰めであるがために移動こそできませんが、手を動かすことはありますし、よく足踏みもします。

昆虫ではありませんが、節足動物の一種ではあります。名前から推測し、蟬《せみ》の仲間だと間違われますが、まったく違います。アリジゴクが蟻《あり》ではないように、新宿が現在、宿ではないように。

セミンゴの外形を話しましょう。長細い球体に、足が生えているような形です。もちろん無機物ではないですから、ゆがみは当然あります。球体とは言え、ちょうど水の雫《しずく》を逆さにしたかのような形です。そこに手足がついていると考えれば、いいでしょう。左右に四本ずつ、合わせて八本で。カブトムシなどの甲虫につく肢《あし》に似ていますが、バランスとしてはそれよりも短いでしょうか。色は全身、銀色です。銀というよりもメタリック、と表現するほうが相応《ふさわ》しいかもしれません。

光沢のあるメタリックで、銀色の車のボディとほぼ同じです。触り心地も似ていて、指で叩《たた》けばかつんかつんと音が鳴ります。昔、イギリスのロックバンドが、my metallic semingo という曲を歌いましたね。歌ったものの鳴かず飛ばずでしたが、あれはまさにそのセミンゴです。そうそう、イギリスの女流ミステリー作家が、孤島で次々と人が死んでいくミステリーを書きましたが、あの時、減っていく生存者になぞらえられたのが、「十匹のセミンゴ」という童謡です。「一匹目のセミンゴは冷蔵庫の裏で、クッキー缶の下敷きになって死んだ。これでセミンゴは九匹になりました」というあの歌ですが、ただあれは、実際には誤っています。セミンゴの総数は変わらないのですから。

ええ、そうなんです。変わりません。一匹死んだとしても、十匹は十匹です。

ア　これについては後でお話しましょう。

セミンゴの顔には、大きな目がついています。球体のどこからが顔か、という質問に答えるのはやめておきましょう。専門的になりすぎますから。

ギ　一番分かりやすい喩《たと》えは、ウルトラセブンに登場した、メトロン星人の顔でしょうか。ウルトラセブンとちゃぶ台を挟んで、対話したことで有名な、あのメトロン星人です。あれに酷似しています。

セミンゴの体長は三メートルほどです。思ったよりも大きいですか？　確かに、虫の喩えが多かったので、虫ほどの大きさだと思わせてしまったかもしれませんね。体重は個体差があるものの、おおよそ百キログラム前後のはずです。背丈の割に軽いのは、おそらく体内の空洞のせいかもしれません。

それで本当に節足動物なのかと思われますでしょうか？

節足動物のようです。

セミンゴはほとんど鳴きません。鳴かないですし、泣かないです。耳を、セミンゴの口元に近づければ、きゅきゅ、と靴で床をこするような音はしますが、気を抜いているど聞き逃してしまう程度のものです。

これでおおよそ、セミンゴの巣と姿については理解できたでしょうか。

そしてここからが、肝心の部分ですね。

セミンゴの生態についてです。

セミンゴは十四一セット、まず、それを覚えておいてください。

三×三の巣にいるセミンゴの他にもう一匹、別なセミンゴがいるわけです。

この一匹は巣の外、我々の目にする居住空間をうろつき回っています。外で餌《えさ》を探しているわけです。好物は樹液のようですが、空腹時には埃《ほこり》や黴《かび》で腹を満たすとも言われています。外では、排便もします。徘徊《はいかい》し、時に壁を這《は》い、我々をぎょっとさせ、時には、目撃したロックバンドに歌にされ、諺《ことわざ》にも使われるわけです。

そして我々はセミンゴを見るたびに言います。

「セミンゴを一匹見たならば、十四いると思え」

一匹のセミンゴがいれば、そのほかに三×三＝九匹のセミンゴが巣にいるわけですから、これは確かに、十匹いるわけです。

外にいるセミンゴが巣に帰るとどういう状況になるのか、それを話さないといけませんね。

まず、外にいたセミンゴが扉から、巣に戻ってきます。これは上から見下ろした図面で言えば、巣の左下から、上に向かって入ってくるわけです。そして、ぎゅう詰めの巣の中に押し入ってきますから、仲間を押し出す形になります。

押されたセミンゴは、自分の前にいるセミンゴを押します。するとそのセミンゴも押されて、前に移動します。

つまり、それぞれが視線を向けている方角に向かい、まさに上から見れば、「N」字を描くように、移動をはじめるわけです。ところてんが押し出される方式で、最終的に一番右上のセミンゴが、今度は外の一匹となるわけです。

「もし、外にいる一匹が死んじゃったらどうなるんですか？」

そういう質問はあります。よくあります。悪い質問ではないでしょう。セミンゴの首を取ったと言わんばかりに、「それだと九匹にしかならないですよね」と言ってくる者がいますが、それは誤りです。

セミンゴは外の一匹が死ぬと、巣の中で途端に新たなセミンゴを作り出すようになっています。三×三の中でこっそりと二匹が交尾をし、そしていつの間にか、新たなセミンゴが出現するわけです。すると巣の中から一匹が押し出され、すなわち再び、「一匹見たら、十匹いる」の法則を実現することになります。

二匹を外で見かけたら、つまり部屋は二部屋ある、というわけで、二十匹です。

「その、セミンゴというのは、飛んだりするのかしら」後ろに座る婦人がそう訊ねてきた。膝《ひざ》に載せた買い物袋のがさごそという音が鳴る。宇宙人じゃないの？

飛びませんよ、走るんですよ、と運転手は答える。宇宙人じゃないですよ、節足動物ですよ、と。「飛ばずに走る、という点では蜘蛛《くも》に似てますね、体長三メートルですからね、速度も推して知るべし、です。百メートルであれば、六秒台ですね。もちろん、加速し、勢いが乗ってくるとさらに速まり、最終的には時速八十キロは出るでしょうね」

「時速八十キロ」ＯＬ嬢がなぜか、うっとりするように息を吐いた。

大きめの岩をワゴンが踏み、車体が右に傾いた。どん、と響き、揺れる。左側の車輪がすべて地面から離れ、横倒しになるのではないかとぞっとするほど傾いた。けれどすぐに、揺れ戻る。両輪が地面を再びつかむ。蓬田の尾てい骨から背骨までが、ぶるぶるっと震えた。いつの間にか、車酔いが消えていることに気づく。車酔いはストレスホルモンの分泌《ぶんぴつ》、と聞いたことがあるのを思い出す。睡眠不足、空腹、不十分な排便、方向感覚の喪失、これらがストレスホルモンを出し、結果、気持ち悪くなる。セミンゴの話に夢中になることでそのホルモンの分泌が止まったのだろうか、と蓬田は考える。

「セミンゴはいつから、どうやって、何のために現われたんですか？」婦人が訊ねる。

「セミンゴ自体は昔からいますよ。家ダニやゲンゴロウを肉眼で目撃する機会がないのと同じで、見ないけど、いるんです。ずっといたんです」

「それがどうして、今になって」と神経質な声を出したのは、やはりＯＬ嬢だった。

「今になって、とはどういうこと」少年が不審そうに言う。「今になって、何か状況が変わったわけ」

「何言ってるの、街がこうなってるのはセミンゴのせいよ」ＯＬ嬢が言う。

蓬田は驚き、けれど驚きを察せられないようにと息を飲み、こっそりと外を見た。荒地が広がっている。どこまで行っても、赤茶色の地面が続く。これが全部、セミンゴのせいなのか？　嘘だろ。と言うよりも、セミンゴって何だ、本当にいるのかよ、何で今まで知らなかったんだ。ググらなかったからか？

「今まで、セミンゴは友好的でしたよね。害虫か益虫かで言えば圧倒的に益虫だったのですが、ここに来て、急に変化が起きました。攻撃的になって、人間と人間の文明物を破壊しはじめたんですね」

「変化だ」「変節だ」「転向だ」思い思いに乗客たちが喋る。

「戦略です」運転手が断言した。

しばらくして誰かが席を立つ気配があった。どうするのかと思うと、蓬田の横のあたりまで歩み出て、右手をすっと伸ばした。「実は」と言った。背広の男だった。なぜか、衿《えり》にコナカの値段表をつけたままの彼は、四十代の真面目な会社員という風貌《ふうぼう》だった。「一つ、気がかりがあるんですが」

「どういう気がかりですか」蓬田が横から訊ねる。

「もっと気がかりを」スキンヘッドが呟く。

「実は、私のところに非常に珍しいメールが送られてきたんです」

背広の男が、蓬田を見る。そして、すぐに運転手に視線を戻す。

「どうして私のメールアドレスを特定できたのか分からないのですが、半年ほど前ですか、このようなメールが受信箱に入っていました」

会社員風の男はメールの内容を述べはじめた。文面を暗記していること自体が怪しさ満点だったが、男は喋れば喋るほど言葉に感情を込めて、女性になりきって気色悪い動作も見せた。

件名：採取のお願いです

わたし、某国立大医学部二年の佐藤はるかと申します。あなたにお願いがあってメールしました。突然このようなメールを送ってしまい、驚かれているかもしれません。何らかの無差別送信のメールだと誤解されなければいいのだけれど、と思っていますが、そう疑われても仕方がありませんね。かなり悩んだのですが、駄目でもともとと思い、決心して、メールを書いています。

わたしは今、「精嚢《せいのう》分泌液に含有されるセリンプロテアーゼの空気接触に伴う状態変化について」という課題に取り組んでいます。特別、難しい内容ではないはずなのですが、わたし自身がこれまで20年間男性経験が一度も無かったため、精嚢分泌液、つまり精液に関する実地的な知識に乏しいことが問題となっています。

それに伴いまして是非一度、成人男性の本物の精液を採取し、この目で確かめた上でレポートの参考にしたいのです。

もしも差し障《さわ》り無ければ、あなたの精液を採取させてもらえないでしょうか。

こんな依頼を突然すると、かなり怪しまれると思うのですが、もちろんこれは、援助交際であるとか、性的な関係を結びたいであるとか、そういうことが目的ではありません。採取方法は主に手や口を使うのみとさせて頂きます。

場所はどこかホテルの一室を取ろうと考えております。交通費、ホテル代、お礼としてのお食事代程度しかこちらでは負担できませんが、ご都合を付けて頂けないでしょうか。

お返事を頂ければ、今後のスケジュールなどを追ってご連絡差し上げます。

唐突な依頼におそらく、不愉快な思いをさせてしまったかもしれません。その場合は遠慮なく、メールを削除していただければと思います。ただ、万が一、わたしに協力していただけると考えていただけるのであれば、もしそうなれば本当に嬉《うれ》しいのですが、お返事いただければと思います。

はじめてお送りするメールだというのに、長々と失礼いたしました。それではそれでは、お返事お待ちしております。

「スパムメールじゃん」席に座っていたままの少年が子供らしい無邪気さで、言った。

「スパムメール？」背広の男は、眉間《みけん》で人を食うかのような顰《しか》め面《つら》になる。

「無差別に送ってるんだって、それ。そんなことも知らないの」少年は心底、信じがたい、という顔をした。

ア
それ私のところにも来ましたよ、と遠慮しつつも蓬田は言った。わたしのところにも来たけど、とOLが便乗した。来たけど削除しちゃったよ、ごみ箱行きよ、当たり前じゃないの。

ギ
「いや、これは私のアドレス宛《あ》てに来ていたわけで」

「話にならないよ、おじさん」

「私を見込んでの依頼だったんですよ。特別のメールだったんですよ」

「でもでも、それって、無断で引用しちゃっていいんですか？ 実際に存在するスパムメールの内容ですよね。こんな小説に引用したら、文面を考えた人が怒るんじゃないですか」蓬田の後ろに座る婦人が、買い物袋を触りながら、大声を出した。

「小説って何のことですか」背広男は半ば、怒っている。

『そのスパムメールの文章を書いたのはわたしです』なんて主張してくる人がいるわけ？ ないよ、そんなの」少年が鼻を鳴らす。

「小説、引用、スパム？ そんなのはどうでも良いじゃないですか。私が言いたいのはですね、私がそのメールに返信してですね」

「返信したんですか？」

「そりゃしますよ、困っている人がいたら協力したくなるじゃないですか」

「エロ親父《おやじ》」ＯＬと婦人の声が重なった。

「エロじゃない、人助けだ」

「で、どうなったんですか？」運転手がハンドルを激しく回しながら言った。急に左へとワゴンが傾く。悲鳴を上げ、乗客も傾いた。絶叫を目的とした、遊園地の乗り物に近い。

「待ち合わせは都内のシティホテルのロビーだったんです」

「え、本当に会えたんですか？」蓬田は上擦った声で聞き返してしまう。「スパムメールなのに？」

「だから、そのスパムって何ですか。とにかく、私は返信をして、日時を調整し、約束通り会いに行ったんですよ」

「あなたが佐々原《ささはら》さんですか」ロビーのソファに座っていた、黒いコートの女性はすっと立ち上がると、彼に近寄ってきて、わたしが佐藤はるかです、と名乗った。

シティホテルとは言え、かなり立派なホテルだった。煌《きら》びやかな内装に、フロントは横幅があり、ロビーも広々としていた。ソファに座る客たちはみな、上品な背広を着て、取引のためなのか談笑している一団もある。

「某国立大医学部二年生の？」

「ええ、某国立大です」と歯を見せる彼女は二重瞼《ふたえまぶた》の目をころころと動かした。真面目そうな黒髪は、肩のあたりまでの長さだった。「今日は、ご協力ありがとうございます」

「私も卒論では苦労したことがあるし、お互い様だよ」彼はそこで自分の話し言葉が砕けたものになっていることには気づかなかった。なぜか、自分と佐藤はるかとの距離が異様に近く感じたのだ。

「じゃあ、さっそく、いいですか」

「ああ、そうだね。部屋はどこ？」

「実はわたし、嘘ついちゃったんです」佐藤はるかはぺろっと舌を出した。

「嘘？」

「ええ、場所、ここじゃ無理なんですよ」彼女は言うが早いか、フロントの前を通り、正面エントランスから外に出ようとしている。

ちょっと待ってくれ、と彼は小走りで彼女のあとを追う。充分な弾力を備えたカーペットに足が優雅に沈む。

「乗って、乗って」彼女は早速、タクシーに片足を踏み込んでいて、彼を手招きした。状況はまるで飲み込めなかったが、彼もそこで撤退するほど軽い気持ちで来たわけでもない。彼女が大学の課題をクリアするために、協力しなくてはならないのだ。「精嚢分泌液に含有されるセリンプロテアーゼの空気接触に伴う状態変化について」は、私が教えなくてはならない。

「どこに行ったわけ？」少年はすでに席を立ち、それでも手にはゲーム機を持っていたが、会社員に詰め寄った。

「あれは本当に、大きいビルだった」会社員は、ワゴンの車内に突然、その建物が姿を現わした、とでも言うように首を傾け、上を見た。「壁面が全部、ガラスになっているような建物で、近未来的だった」

「それ、全然、近未来的じゃないって」ＯＬ嬢が指摘した。

「ガラスは周囲の景色を反射しているんだが、まわりに建築物はなかったから、結局、青空と雲が建物に映っているだけだった」

「何の建物なの？」

「分からないんだ。病院のようにも、研究所のようにも」

「で、そこで採取されたわけ？」ＯＬらしき女性の声には、軽蔑《けいべつ》がまじっていた。

ア「ああ、そうだ。まるで人間ドックだったな」

「卒論はどうなったんですか、卒論は」蓬田は咄嗟《とっさ》に確認する。

明らかにそれどころではなくてね、もはやあれは人体実験だったよ、と会社員は
ギ淡々と、懐《なつ》かしさすら滲《にじ》ませ、うなずく。勇敢な自分に対する誇らしさも滲んでいた。

「血液にはじまり、尿や大便、精液に唾液《だえき》、汗、体液という体液はすべて採られた」

全員が黙り込んだ。会社員の話をどこまで真面目に受け止めれば良いのか、判断に困っていたのだ。

「私だけじゃなかったですよ。他にもたくさんの人たちがいました。全員、首から被《かぶ》る割烹着《かっぽうぎ》のようなものを着せられて、建物の各検査室に並ばされていたんです」

「割烹着」少年がその言葉に笑う。「古くない？」

「その女はどこに行ったんですか。佐藤はるか、だっけ？　その、はるかちゃんはどう責任を取ってくれたんですか。そもそものメールの約束と違うじゃないか」蓬田は自分でも意外なほど、熱を込めて、訊ねていた。

「いつの間にか佐藤はるかはいなくなっていました。きっと、大学に戻らなくてはいけない用事でもあったのかもしれません。またいずれ、メールが来るとは思っているのですが」

「来ねえよ」少年とOL嬢の声が同時に重なった。「来るわけねえって」

「決め付けないでください」値札付きの背広を着た男は、振り向きざまに唾を飛ばした。唾がかかった蓬田は慌《あわ》てて顔を拭《ぬぐ》った。苛立《いらだ》ちと不快感のまざった熱が、身体からぶわっと舞うのが分かる。

「で、その話がどうかしたんですか？」運転手の言葉が、その雰囲気を和らげる。

「そうだ、そうだ、それですよ」背広男が手を叩いた。右手で作った拳を、鼓《つづみ》のようにして左手の平に叩きつける、という古臭い仕草だった。「どうして気になったかと言うとですね、私がその建物の中の検査室に入った時、部屋の隅にそれを見たんですよ」

ワゴンがまた揺れる。全員が右方向に雪崩《なだれ》を起こすような形になる。しばらくして、体勢を戻す。

「それを見た？　それって何？」

「さっき言ってた、その、何とかってやつ」

セミンゴ、蓬田はなぜかその名前が思い浮かび、口に出していた。

「そうですそうです」会社員は声を上擦らせた。「言ってましたよね、さっき、雫みたいな形で、三メートルくらいで、顔はメトロン星人みたいで、肢があるって」

「八本ですね」

「数えていないですけど、とにかく虫みたいな肢です。それが検査室の窓ガラスの向こう、X線撮影室の裏方に、見えたんですよ。銀色のモニュメントみたいな形で」

蓬田はそこで、情景を思い浮かべる。X線写真を撮る部屋の奥に立つ、セミンゴを、だ。それは本物なのか、もしくは、セミンゴを見立てたオブジェなのか。

「なるほど」運転手は、ゆったりとハンドルを構えつつ深々とうなずいた。仙人もしくはジョン・レノン、そうでなければ汚い変人の長髪を揺らしつつ、セミンゴの凶暴化と関係しているのかもしれませんね、と解説口調になった。

「え」と背広男が声を上げる。

「スパムメールが？」と少年が聞きかえした。

蓬田は蓬田で、「はるかちゃんが？」と馴《な》れ馴《な》れしく言う。

「セミンゴが、人間の情報を入手している、という噂《うわさ》を聞いたことがあります。もしかすると、検査はその一環かもしれません」

「セミンゴって知能あるの？　そんなことさっき言ってなかったじゃない」婦人が怒る。「樹液吸ってるんでしょ？」

「知能はもとからあるんじゃなくて、どんどん、ついてくるんですよ」運転手は言う。

「人間を検査するくらいの、知能？」蓬田には信じがたかった。

「あ、それ、環境ホルモンのせいだ。テレビでやってた」とOL嬢が言う。久しくその名前を聞いていないな、と蓬田は思う。とはいえ、環境ホルモンの影響は計り知れないからな。

「さっきから何を訳の分からないことばかり、言ってるんだよ」少年がそこで唐突に金切り声になり、ゲーム機を床に叩きつけた。

ゲーム機の角が割れた。

「ああ、せっかくのゲームギアが」と蓬田は呟いたが、それ以外に誰も言葉を発しなかった。車内が静まる。ワゴンが岩を踏む音とそのエンジン音だけがしばらく、鳴っている。

「ああ、もう」少年が髪を掻き毟《むし》った。頭髪はおろか、頭皮までも裂くかのような、強い擦《こす》り方だった。いったいどうしたのだ、と蓬田は目を瞠《みは》り、少年が皮を引っ掻き、顔を剝《は》ぎ、中から別の生物でも現われてくるのではないか、と恐ろしくもなる。

「誰がこんな世の中にしたんだよ」と少年はそこでさらに大きな声で喚いた。「僕が生まれた時から、こんな世の中じゃないか。自分たちだけ預金と年金抱えて、逃げ切る気満々の年寄りばっかりで、僕たちをどうしようっていうんだ。知っている？　アリたちはね、敵と戦いに行くのは、年寄りアリたちなんだよ。若いアリたちが残ったほうが、コロニーのためになるんだから、そりゃそうだよね」

車内の一人として、すぐには返事をしなかった。蓬田も黙り込んでしまう。少年の叫びは、あまり新しみのない、どちらかと言えば陳腐で使い古された台詞《せりふ》である上に、曖昧模糊《もこ》としていて、回答を求めているものとはとうてい思えなかったからだ。

「少年、何かつらいことでもあるの？」ＯＬ嬢が訊ねた。「親のこと？　トラウマ？　それとも第二次性徴に関連すること？」

「何でもトラウマのせいだと思うなよ」

運転手が口を開き、世の中をこうしたのは誰かは分かりませんが、街を破壊しているのはセミンゴですよ、とやんわりと言った。

蓬田は腰を宙に浮かせ、前かがみになりつつご機嫌伺いをする体勢で、「セミンゴは何の隠喩《いんゆ》ですか」と投げかけてみるが、運転手はバックミラーに眼差《まなざ》しを向け、瞼を羽ばたかせるようなまばたきを二度やった上で、隠喩だと誰が言ったんですか、と応《こた》えた。「人間の成分を分析し、知能を持ったセミンゴが街を破壊している。それだけです」

あら、地震かしら、と婦人が、蓬田の背後で言った。

単にワゴンが揺れているだけですよ、と背広の男が冷たくあしらう。

いいえ、地震。女性はもう一度、今度は確信を深めた語調で、宣言した。

本当だ地震だ、と別の人間が同意した。

蓬田は耳を澄ませ、五感を研ぎ澄まし、身体の揺れに集中するが、はじめのうちはワゴンの震動にしか感じられない。けれど、そのうちに足元ではなく、大地全体が唸《うな》るのを体感した。

「来ましたね」運転手の声が、きゅっと空気を絞り込む。

何が？　誰かが訊ねたのかもしれないし、蓬田が訊ねたのかもしれない。とにかく身体を後ろに向けた。地鳴りはそちらから聞こえてくる。

雪崩が来るのだ、とはじめは思った。実際、頭を掻き毟ることをやめた少年も、

「雪崩？」と口を開き、ワゴンの後ろをじっと見つめていた。乗っている誰もが、運転手を除く誰もが、ワゴンの後部ガラスを眺めていた。

来るって何がですか、と後ろを見やったままの蓬田は囁《ささや》くように運転手に訊ねたが、聞かずとも答えは分かっていた。

だんだんにその姿が露《あら》わになってくる。赤茶色の地面に砂煙を立ち上げ、遠方の海から訪れる大波さながらに、近寄ってくる影があった。ワゴンの揺れに合わせ、その影も揺れる。

息を飲み、その勢いをまじまじと見る。見ているほかない。

「セミンゴは速くて時速八十キロ、と言ってなかった？」婦人はそのことをよく覚えていた。

「進化しているんでしょうか」運転手は言う。

「進化ってもっと長い年月をかけて、変わっていくんじゃないの？」少年の声がする。

蓬田ははっとしてもう一度前を向き、腰を上げ、運転席についた速度計を確かめた。百キロを越えていた。

横の窓を眺める。先ほどよりも失速している感覚がある。理由は分からないが、助走のみで滑走していた橇《そり》が、摩擦によって、速度を減少させるのと似て、ワゴンは緩やかにではあるが遅くなっているのかもしれない。

「すげえ数」少年が、ぽかん、と風船でも膨らませるかのような独り言を洩《も》らす。それから足元で、壊れたゲーム機を見下ろし、「俺のゲームギア」と呟《つぶや》いた。

「もっとギアを」

何匹いるのだ、と蓬田も首を捻《ひね》った。同時に、肌が粟立《あわだ》つ。はじめは地平線に浮かぶ程度だったその波は、今や完全にセミンゴの姿を露わにし、何列もの縦隊を作り、こちらへ走ってくる。セミンゴの振り回す肢が、怖気《おぞけ》を誘う。

「百匹はいるんじゃない？」ＯＬ嬢は鳥肌を掻き消そうとしているのか、二の腕を擦りつつ、背筋を震わせた。

「やばいですよ」蓬田は、運転手に言う。「加速しましょうよ」

「べた踏みしてます」

「一度、ギアを落として、加速しましょうよ、加速」

「もっとギアを」スキンヘッドが言う。

百匹いるということは、あの一匹ずつに巣があるわけだ。蓬田は考える。百部屋がどこかにはあり、その中には九匹が待機しているのだから、待機という表現が相応しいか分からぬが、少なくともこの世に千匹はセミンゴが存在する。

振り返ると、徐々に大きくなるセミンゴの波に圧倒される。窓に額をつけたまま眠った顔で死んでいる白髪男が、震動で脇《わき》に倒れた。床の血が、右へ左へとあとをつけた。ワゴンがあのセミンゴの大群に飲み込まれるのは時間の問題に思えたが、蓬田は、「もっと早く、もっと早く」と運転手に頼むほかなかった。気づくと、銃を持っていて、それを今やすっかりジョン・レノンの顔になった運転手に向けていた。

地鳴りが激しくなる。数メートル先までその群れが近づいた時、メタリックの体とそこから伸びる触手のような肢に、怖気が走った。うわっと呻《うめ》き、鳥肌を擦るが、治らない。轢《ひ》かれる、と少年が叫び、もう駄目だ、と蓬田は目を瞑る。

「もっと」スキンヘッドの男が呟き、それに続く言葉を発する前に、ワゴンは横転し、砂埃が上がるが、ここからはそれも豆粒のような大きさにしか見えないのだった。

二月下旬から三月上旬

二月二十七日

母と一緒に病院の外、中庭に出たとたん、冬の風が私の顔面や首を撫《な》で、ひやりとさせる。さらに両手をぎゅっと握り、ひんやりとさせてくる。隣の母が手をこすり合わせていた。「あと何回、春を迎えられるか」

二年前に入院してから、母はよくそういうたぐいのことを言い、私を暗い気持ちにさせた。「またそういうことを言う。戦争だって終わったんだから」

「勝とうが負けようが、戦争は、ほとんどのものを壊すんだから。勝っても壊れて、負けても壊れて。秩序も、普通の生活も壊れて」

「それでも戦う必要があった、ということだよ。きっと、これから景気も良くなる」

　母は黙って、横を向いた。周囲を見渡すついでを装《よそお》い横顔を眺める。ずいぶん老いて見えた。いや、私と母は年が離れていたから、母は昔から、「老いた母」だった。

　子供の頃、母は常にいらいらとしていた。「宿題をやりなさい」「どうしてこんな漢字も分からないの」「お父さんに謝りなさい」と年がら年中、金切声をあげた。納得できる叱責《しっせき》もあれば、理解不能の、承服しがたい場合もあった。母に褒められたいがあまり、いや、とにかく、見離されることは避けたいと、よい子になろうと頑張った。頑張りはもちろん無理を生み、無理の重なる日常は子供ながらに苦しく、いっそのことすべてをおしまいにしたほうが楽ではないか、とぼんやりと、頭の芯《しん》というよりは胸や胃腸のあたりで考えるようなことも多かった。

　子供の頃の私は、「もうやめ。こんな人生はもうやめ」と自暴自棄になり、家の中もしくは学校で不満を、新聞や週刊誌の記者たちが喜ぶような事件として、爆発させたとしてもおかしくはなかった。その種はあった。

　芽吹かなかったのは、坂本《さかもと》ジョンと会ったからだろう。

　小学四年の時に突如として彼は、煙のように出現した。

　下校中、コンビニエンスストアの駐車場でアイスを食べている小学生がおり、買い食いは禁止されているにもかかわらず度胸があるものだなと思っていると、目が合い、

「俺さ、隣の学区なんだけれど」と彼は言う。「買い食いするために、わざわざここまで来ているんだぜ。タフなんだか、小心者なのか分からないだろ」と自ら笑った。

なぜか、彼に惹《ひ》かれた。おそらく自分の学校の友達とはなかなか親しくなれず、もちろん表面上は同級生として付き合っていたものの、どこか疎外感《そがいかん》を抱いており、それは、参観日にやってきたほかの母親よりも私の母親のほうが見るからに老《ふ》けていたために、どこか軽んじられている、実際に軽んじられていたのではなかったにしても、きっと彼らは自分を見下しているはずだ、と私のほうが勝手に劣等感を覚えていたからにほかならないのだが、とにかく根本の部分では心を許すことができず、その反動で、別の学校の少年、坂本ジョンに対しては、それとは違う関係が構築できると期待したのだろう。

それ以降、毎日のように会った。私は、坂本ジョンのことはほかの友達には紹介しなかったため、彼らは私が常に、一人で公園で遊んでいるのだと思っていた節がある。

坂本ジョンは、明らかにほかの同年の友達とは違っていた。まず、名前が奇妙だったが、これについては本人がそう言い張るだけで、正式な氏名なのかどうかは知らなかった。当時、私は半ば本気で、彼の言い分「俺の父親がアメリカ人だから」を信じ、疑っていなかった。

下校途中に、その坂本ジョンと合流し、児童公園でだらだらと遊ぶことが日課になり、そのことが、私の鬱憤《うっぷん》のガス抜きになり、だから大きな爆発を起こすことなく、十代の危機を乗り越えられた。そのうち父が脳溢血《のういっけつ》で死ぬと、母が少しずつ穏やかになった。ようするに、母の異常なまでの不機嫌は、父が原因だったのだ。

とにかく、二十代となった今も、坂本ジョンとの親交が続いているとは予想もしていなかった。

「また来るよ」

「無理しなくていいから。おまえも仕事があるだろうに」

「明日も外回りでこの近くを通るから、寄れる」

「おまえはすぐに忘れるからね。期待しないで待ってるよ」「忘れるって何を」「宿題とか約束とか」「いったいいつの話をしているんだ」

子供の頃、「宿題を忘れるなんて、おまえはどこか人間として駄目なのかもしれないね」と鬼の形相で叱《しか》りつけてきた母と、今目の前でさっぱりとした穏やかな表情の母とがうまく重なり合わない。

慈郎《じろう》、と呼ばれ、私ははっと顔を上げる。母が、「誰と喋《しゃべ》っていたんだい」と眉《まゆ》をひそめた。

「誰と？　誰とも喋っていない」

「今、誰かに挨拶《あいさつ》をしていなかった？」

私は否定したが、そう言われてしまうと自信がなくなる。「誰もいないじゃないか」

「それならいいんだけど。お父さんが、そういうところあったから」

「そういうところ？」

「一人でぶつぶつ喋って。誰もいないのに」

「もともと社交的ではない人だったんだろ」

「実はね、おまえには言ってなかったんだけれど、お父さん、亡《な》くなる前に少し変になっちゃっていたんだよ」

「変に？」

「誰もいないのに、さも誰かがいるかのように振る舞って。外を歩いていると急に、誰もいないのに立ち止まって、挨拶をしてね。会話をしてるのよ。ほら、おまえも挨拶しなさい、とかわたしにも言ってきて」

「何それ。幽霊でも見えていたのかな」

「電話で誰かと喋っていたかと思えば、結局、誰とも通話していなかった、とかね」

「痴呆《ちほう》？」年齢的には若くても、そういう可能性はあったはずだ。

「わたしと喋っていてもどうにも話が合わなくて、いろいろ聞いていたら、まだ若い頃のわたしと喋っているつもりだったとか。突然、『慈郎、学校はどうだ。宿題やれよ』とか言い出してね」

「子供の頃の俺が出現したのか。まぼろしかな。怖いな」

「病院に連れて行ったほうがいいのかもしれない、と思っていたんだけれど、一週間もしないうちに倒れて」

結局、そのまま意識は戻らず、死亡した。「頭の血管が詰まっていて、機能がおかしくなったのかな」

「かもしれないね。だから、おまえも気をつけるんだよ」

「気をつけろと言われてもね」

「そうそう、お父さん、『今日、向かいの田中《たなか》さんからJリーグを目指そうと言われた』とか言い出したんだから。サッカーボールを買わないと、なんて」

「田中さんって、近所の、おじいちゃんだったよね？」

「しかももう、亡くなってたしね」

Jリーグを目指すには、乗り越えなくてはならない壁があまりに多い。「俺も突然、美人が部屋に現われてくれるとかなら嬉《うれ》しいけれど」

「さっさと結婚しなさい」

「幻だったら」「幻でも」「そんな無茶な」

直後、目の前の光景が揺れた。水彩画に滴《しずく》が落ちたかのように、輪郭が滲《にじ》み、気を許すと母が消えるかのように思え、私はあわてて、瞬《まばた》きをする。

ぼんやりと病院を後にし、駐車場から車を出し、走らせる。

赤信号で停車している際、脇《わき》の歩道を、見覚えのある女が通り過ぎていくのが見え、あ、と思う。学生時代、塾講師のアルバイトをしていた際の教え子の一人で、当時、中学一年か二年であったから今は高校三年生といったところだろうか。大人びたところはあるが、まだ子供ではある。とはいえ私はふと、その彼女の制服を視線によって剝《は》ぎ取り裸にしていることに気づき、不謹慎だな、と苦笑してしまう。

「先生、年はそんなに変わらないじゃないですか」急にその、教え子が言ってくる。私は狼狽《ろうばい》しながら、「ただ、塾講師の身としては、生徒をそんな目で見ては」と応《こた》える。

「先生はもう、塾講師ではないし。営業マンでしょ。それにわたし、もう大人ですよ」と言った彼女はいつの間にか制服ではなく、ワンピースを着た、私と同年代、二十代の女性に変貌《へんぼう》しており、「ああ、それなら付き合えるね」と自分が答えていることとに、私は噴き出しそうになり、そこで今自分が思い描いていたものが、くだらない夢想だと気づいた。

「おい、慈郎、おまえ、女子高生が好みか」

隣から急に言われ、私はのけぞる。助手席に短髪で、野球少年がそのまま二十代になったかのような男、坂本ジョンが口元をほころばせていた。

「何びっくりしてるんだよ。慈郎、おまえは物思いに耽《ふけ》ると、いつもそんな感じだな」

「いつからいたんだ」

「ずっといたじゃねえか」と言いながら、坂本ジョンがどこからか取り出した小さな猿の人形を、それは吸盤付きだったのだが、勝手にフロントガラスに押し付けた。人の車に何を勝手に！　私は怒ったものの、「いいからいいから」と彼はまるでこの車が自分のものであるかのような貫禄《かんろく》すら浮かべ、平然としている。「今年の干支《えと》なんだから、縁起ものだ。申年《さるどし》だ」

坂本ジョンには、星座や血液型にこだわるよりも、他人の干支を気にするところがあり、その年の干支については一年間、妙に大事にした。

「来年になったら、この人形はどうすればいい。捨てるのか」

私の質問に、彼は答えず、「実はいい仕事の話があるんだけどな」と喋りはじめた。

どうせろくでもない仕事だろうと聞けば、予想以上にろくでもなく、すなわち、年金生活をしている老人の家に行き、害虫駆除の押し売りをし、割高費用の契約を取る、さらにはリフォームとは名ばかりの粗雑工事を行う、といったもので、そのような仕事に、坂本ジョンが関わろうとしていることに、暗澹《あんたん》たる気持ちになった。小学校四年の時からの付き合いで、彼のそういった側面は理解していたものの、そしてその、自分の暗い部分を彼が担《にな》うようなポジションだったからこそ、腐れ縁が続いたのも事実だったが、やはり、遵法《じゅんぽう》意識がなさすぎることには抵抗があった。

「ノウハウを教わってきたからな、あとはそれを実践すれば」

「やめておけよ」私は短く、けれど強い否定の重みを込めて、言った。

「何でだよ」

「寂しいお年寄りを騙《だま》して、いいわけがないだろう」

「いいか、慈郎。言いたいことはいくつかある。一つ、お年寄りだからといって、寂しいかどうかは分からない。若者だって寂しい。日本の貯蓄の六割は、六十代以上が持っている、って話、知ってるか？　少し前の高齢社会白書によれば、六十歳以上の七割が、暮らしについて、『まったく心配ない』『それほど心配ない』と答えているんだと。それに比べて、若者の何割が、『心配ない暮らし』を送っているって言うんだ」

坂本ジョンが、高齢社会白書なるものに目を通していることが、現実離れして感じられた。「それは逆に、高齢者には人生の見通しが立ってしまっている、とも言える。考えなきゃいけない距離が短いか長いかの問題だ」

「この間終わった戦争だって、年寄りよりも若者のほうが命を落としたぜ」

「そうかな」

「そうかな、じゃねえよ」

私は実は、戦争についてはあまり深く考えたことがなく、どうにでもなれ、どうせ反対しても仕方がない、といった思いが強かった。むしろ年長者たちが、「戦争を阻止しよう」と反対の声を上げるのが、自分たちの力で世の中の流れを変えられる過信に思え、抵抗を覚えた。

「慈郎、いいか、俺たちはいつだって年長者の尻拭《しりぬぐ》いだ。この四月からは消費税が上がる。ふざけんな、だ」

後ろからクラクションが鳴らされ、私は信号がとうに青になったことに気づき、車を発進させる。

「で、慈郎、おまえは女子高生を見て、何を考えていたんだ」

私はそこで正直に、おそらく隠したところで坂本ジョンにはばれているように感じたからだが、自分の妄想について説明した。案の定、坂本ジョンは小馬鹿《こばか》にした顔で笑い、「まあ、俺も高校時代は授業中に、クラス中の女子全員の裸を想像したもんだけどな。それが現実と区別がつかなくなったらやばいぜ」と肩を揺すった。

運転を続け、しばらくして気づくと、坂本ジョンの姿がなかった。いつの間にか、車から降りていたらしい。

二月二十八日

「昨日の話なのだけれど、慈郎、手を組む気になったか？」

仙台市郊外のファミリーレストランで、私の前に座る坂本ジョンは、つい先ほどまでメニューを指差し、「これもどうせ消費税が上がれば、どーんと値上げするんだぜ」と怒っていたが、今はテーブルに身を乗り出し、口の横に手を添え、声をひそめた。

「何の話だよ」

「例の、安穏と暮らしている高齢者の家に行ってだな」

「心から助言するが、おまえも、まともに働け」

「まともとは何だよ。慈郎、おまえは」

「営業だ。車の新技術を売っている」「俺と似たようなものだろうが」

まったく違う、と私は否定した。が、実際のところ、少し性能を誇張し、顧客にそれとなくプレッシャーを与え、契約を結ぶことの多い自分の仕事と、坂本ジョンの詐《さ》欺《ぎ》は重なって感じられる部分もあるのではないか、と思う自分がいて、狼狽する。似ているわけがない。

猿が描かれたシャツに、ニットのカーディガンを着た坂本ジョンは、「俺にとって、まともに働くとはこういうことなんだ。金を持ってる奴《やつ》から金を取って社会に還元する」と主張する。「老人は自分のことしか考えていない」

「誰だってそうだ。みんな自分の命が、人生が心配で、一番大事に決まってる。どんな事故や事件が起きても、人が真っ先に思うのは、『それって私に関係するかしら』だ。むしろ正しい生き方だよ」

「慈郎はどうしてそう、抹香臭いんだ」

「人のことを臭い、とか言うなよ」

「でもな、実は俺も昨日、さんざん慈郎から説教されたから、考えたんだ。人として間違ったことはやめたほうがいいな、とな」

私は、まじまじと坂本ジョンを見る。「どうしたんだ、いったい」

「いや、金を貯《た》め込んでる奴らから奪い取って何が悪い、って気持ちは嘘《うそ》じゃない。間違ってるとも実は思ってないんだが」

「何を威張ってるんだ」

「ただおまえにしょっちゅう、やめろやめろと言われていると、確かに、まともな仕事ではないのかもしれないなとは思いはじめてきた」坂本ジョンは言って、ストローで緑色のジュースを吸い込んでいく。

反省しているような開き直っているような物言いに、それは失言を渋々謝罪する政治家のようでもあり、私は呆《あき》れるが、話の腰を折るのはやめ、喋らせることにする。

「でな、とはいえ、俺のやってきた仕事は、今日嫌になって今日、はい辞めます、という仕事ではないわけだ。おまえも知ってのとおり」

「知らなかったよ」老人を騙す詐欺の仕事など、辞めようと思えば瞬時に辞められるたぐいの業種だとばかり思っていた。

「俺にも、お世話になってる人がいるわけで」

「ああ」私にもそこで察しがつく。物騒な仕事仲間内では確かに、「足を洗う」ためのあれやこれやが必要なのかもしれない。「ホームページから退会申込みのボタンをクリックすればいいわけじゃないんだな」

坂本ジョンは肩をすくめ、口を尖《とが》らせる。小学生の頃の面影が残っているところがおかしかった。

「だから慈郎、俺はこれから、俺に仕事を教えてくれた講師のみなさんに会いに行かなくてはならない」

え、と思った時には坂本ジョンは席を立ち、出口へ向かっていく。まあ、勝手にすれば良い、あいつと自分とは他人なのだから、と放っておくかと思ったが、そこでテーブルの上に、会計伝票が置かれたままであることに気付いた。いつもこうだ。しれっと、あの男は私に物事をなすりつけていく。

レジへ向かい、そこにいた店員に、「ちょっと友人が出て行ったのを追いかけていいですか？」と声をかけたが、「はい？」と女性店員は眉間《みけん》に皺《しわ》を寄せた。その表情は、客商売においてもっともやってはいけないことの一つに思える。「いえ、友人が外に」「見ませんでしたけど」「そりゃ、あなたもずっと出入りを監視しているわけではないでしょ」「会計してからでお願いします」「いや、連れが」「お連れ様なんていましたか？」「いましたよ」

妙に喧嘩腰《けんかごし》の店員に根負けし、私は金を支払い、店の外に出た。

「よく考えたら、おまえの車じゃないと移動できない」

坂本ジョンが目の前に立っていた。恐縮することもなく、当然のような顔つきだ。召使か執事、もしくは年下の相棒に付き添いを命じるかのようだ。

車を発進させ、私は、坂本ジョンを、彼が言うところの、「上司のオフィス」に連れて行くことにした。

数日前まで降っていた雪は街のところどころ、日陰《ひかげ》部分に小さな山となり残っていたが、車道はすっかり乾き、風に吹かれ屋根から舞った白い雪の粉がフロントガラスにかかるのが気になる程度だ。

「この曲、誰の？」助手席の坂本ジョンは、私よりもよほど暢気《のんき》なもので、シートの上で膝《ひざ》を抱えるような格好で、カーステレオを指差した。

「誰の」私はふざけて答える。「誰さんの、だ」

「どういう意味だ」

「フーのだ」

「おまえ、フーなんて好きだったか。俺は、フーの良さがどうしても分からねえんだよ。スモール・フェイセスは好きだけどな」

私はカーステレオから流れる、ザ・フーのアルバム「四重人格」を聴きながらアクセルを踏む。

そのアルバムタイトルを知っているからか、坂本ジョンは、「慈郎は俺の中のもう一人の声、みたいだな」と言う。

「どういう意味だよ」

「心の声だ。説教臭いが、俺が道を踏み外さないようにしてくれている」

「臭いとか言うなよ」私は言う。「それに、おまえはとっくに踏み外しているではないか」

片側一車線の反対側からくすんだ暗い緑色の、大きな車体がやってきて、通り過ぎていく。数台続いた。軍用トラックだ。

私はそれを見送り、胸と腹の底に暗い泥水が溜《た》まるような重苦しさを覚える。

「戦争がまた、はじまるのか」坂本ジョンが、私の頭に浮かびあがったその恐怖を、言葉にし、口に出した。私はバックミラーに映る、遠ざかる車両の背中に目をやる。

「どうだろう」私の声は少し上擦った。

戦争とは、日常を破壊する巨大な怪物のようなものだとずっと思っていたが、だんだんと少しずつ街に染《し》み込んでくる毒霧に似て、緩やかにはじまるものなのだろうか。

「俺には難しいことは分からねえけど、面倒なもめごとは戦争とかでさっくり決着つけたほうがいいよな」

「そうか？」

「性欲と一緒だよ。我慢してるより、発散したほうがよっぽど手っ取り早い」

「とはいえ、さすがに戦争は避けるんじゃないのか」

まだ戦後の復興には時間がかかる。戦争で守った領地についても、依然、もめごとが多い。戦争に勝って何を得られたか、といえば、私には即答できない。自尊心、という意味では確かにそれは守れたのかもしれないが、壊れたものとのバランスは取れていない。

市街地に入り、宮城県庁の裏手に出た後で、坂本ジョンの言うがままに車を進め、「よしここで」と言われたところで、私は車を停車した。

「じゃあ、ちょっと行ってくるわ」「大丈夫なのか」「何が」「辞めます、はいどうぞ、とはいかないだろ。ひどい目に遭ったりはしないのか」「どうだろうな。そのあたりは俺の処世術、コミュニケーション能力が物を言うだろう」

「それを聞いて、いっそう心配になった。ここで待っていたほうがいいのか」

「いや、いつになるか分からないからな。慈郎、おまえは、お袋さんの見舞いにでも行けばいい」

「昨日も行ったばかりだからな。今日はやめておく」

「具合はどうなんだ」

「苦しそうではないのが救いだ。たいがい、眠っている」

「施設のお金、馬鹿にならないんじゃねえのか」

「親父《おやじ》が昔残してくれた保険金と年金でどうにか。ただ、それもそろそろ限界だ。最近は、早く結婚しろ結婚しろ、とうるさい。だいぶ呆《ぼ》けてきてるのかもしれない」

「というか、俺なんて、小学生の頃からの付き合いだってのに、おまえの母親に会ったことがねえしな」

「たまたまだ」私は答える。嘘だ。私は意図的に、自分の家族と坂本ジョンを引き合わせぬようにしていた。何しろ、彼との時間が子供の頃の私にとっては、家庭における閉塞感《へいそくかん》を解消するための唯一《ゆいいつ》のひと時であったから、それだけは、別のところに遊離した状態で、無菌状態さながらに、あの坂本ジョンは無菌どころか「精神の雑菌」だらけの男だったが、とにかく大事にしておきたかったのだ。

私は車を走らせ、仙台市南郊にある自宅マンションへと戻った。エレベーターで昇り、玄関を開ける。居間に置いたソファに腰を下ろし、テレビのリモコンを操作する。古い映画『ファイト・クラブ』を再生させたが、そこで、「どうだった？」と横から言われ、私は驚く。「いたのか」

「わたしのことを忘れたの？　あなたの妻を」

私は立ちくらみに似た感覚に襲われ、頭を振る。

「忘れるわけがない。女子中学生の頃から知っている」

「教え子に手を出すなんて」

「君はもう大人だから」

「坂本ジョンはどうだったの」

「楽して儲《もう》けることしか考えていない」

「そんな人、本当にいるの？」

私は、妻のその言葉の意味が分からず、曖昧《あいまい》に、「まあ、いるよ」と答えた。

「パパ」と子供が言うのが聞こえ、私ははっとする。顔を左右に振る。

「どうしたの？」

「今、子供の声が」私は言う。テレビ番組の中で、子役の少年が台詞《せりふ》を口に出しただけかもしれない。

「あなた、自分の子供のことも忘れたの？」悪戯《いたずら》を仕掛けるような言い方をしてくる彼女だが、距離が近いせいか顔がはっきりと見えない。こちらをからかっているのだ。

子供がいるわけがなかった。

まばたきをし、目を開けると彼女の姿がない。浴室から水の音がするから、いつの間に、そちらでお湯を貯めているのか、と思う。

二月二十九日

うるう年の二月二十九日は、本来、あるはずのないものが急に生まれだしたように感じる。人間が操作できないはずの「時間の流れ」の中に無理やり手をねじ込み、「余分な一日」を捻出《ねんしゅつ》したのではないか。そう思うと、不安定な時間に思える。

朝、ベッドから体を起こし、いつもの日課通りにスマートフォンで時間を確認すると、ニュース速報が届いており、見れば、消費税増税反対を訴え、どこかの男性が焼身自殺をした、と書いてある。消費税増税が法律で決まった時ではなく、施行される直前で抗議しても遅いだろうに、と思った。

額に痛みを覚える。指で触れると膨らみがあり、いったいどこでできたものなのかと考えるが、思い当たる節がない。洗面台の鏡の前に立てば、額だけでなく瞼《まぶた》のあたりも腫《は》れていた。恐る恐る触れるとやはり、痛い。

「パパ、怪我《けが》大丈夫？」

後ろから声がかけられ、私は、「ひい」と悲鳴まじりの声を発してしまう。ぼやけてしか見えないため、目を慌《あわ》てて、こする。

「パパ、怪我大丈夫？」息子は先ほどと同じ台詞を、そのことが役割であるかのように言う。私の頭の中に直接、語りかけてくる雰囲気があった。「昨日、悪い人にやられたんでしょ」

「え」

「ママがそう言ってた」

そこで妻が、出番を待っていたかのようなタイミングで、姿を現す。「ほら、昨日、例の坂本さんと会って、また助けようとしたんでしょ」

「いや、あいつとは別れて、僕は帰ってきたじゃないか」

「そのあとでやっぱり、気になる、って出て行ったでしょ」

私はよく思い出せなかったが、うっすらと昨日に会った坂本ジョンが、例によって干支の猿のシャツを着た姿が、頭に浮かんだ。

スマートフォンに着信があり、出ると当の坂本ジョンだ。噂《うわさ》をすれば影、というよりも私の影には常に彼が潜んでおり、隙《すき》を見つけては現れてくるかのようだ。昔、罹《かか》った水疱瘡《みずぼうそう》のウィルスが、こちらの体力が弱ったタイミングで帯状疱疹《ほうしん》として表出するのと似ているかもしれない。

「慈郎、ちょっと今日も会えないか」

私は溜息《ためいき》をたっぷりと、息というよりも明瞭《めいりょう》な声として、吐き出した。この男との関係は切っても切れないのか、耳を塞《ふさ》いでも聞こえてくる幻の声のようではないか。

妻の返事を待たず、私は車で仙台駅へと向かった。国道286号のカーブを走行している際に、助手席でむくっと起き上がる影があり、私はそこで息子がついてきたことを思い出した。道路脇に広告用のディスプレイ看板が立っており、画面には、日本地図が表示されていた。

「あれは何？」

「国のために戦う人を募集しているんだよ」

「戦争ってだいぶ前に終わったんでしょ？」

私は答えに困る。「そう、戦争は前に終わってる。ただ、その戦争の前にも、戦争は終わってるんだ」

「どういう意味？」

「戦争の前には戦争があって、いつだって終わった時はみんな、これが最後の戦争だと思う」

「でも続きがある」

「巨匠の最後の作品、がいくつもあるように」

駅の屋上駐車場に出たところで車を降り、車を自走させる。

「どうも付きまとわれているんだ」坂本ジョンはホテルのラウンジで向き合うと、私に打ち明けた。息子は、坂本ジョンに会ったとほぼ同時に、私の体に寄りかかり、眠っている。

「それにしても慈郎、ずいぶん、顔腫れているな」

「俺は、おまえのトラブルに巻き込まれたんだ。とばっちりで俺がまた暴力を振るわれた。おまえを付け回しているってのは、昨日のあいつらじゃないのか。おまえがお世話になったっていう」

「昨日の奴らは、まあ、俺が長年、お世話になった上司のみなさんだからな。こそこそ付け回してくる必要はない」

「早く縁を切っておくべきだったんだ」

「昔、俺が詐欺でひっかけた人間が仕返ししようと、俺に付きまとっているのかもしれねえな」

「おまえが騙していたのは、高齢者だったじゃないか。その高齢者が、おまえをつけてるのか。失礼な言い方だが、まだ生きてるのか」

「高齢化社会だからな。それに、誰かを雇ったのかもしれない」

「自業自得《じごうじとく》だ」

「慈郎、俺とおまえはほとんど一心同体みたいなものなのだから、俺の自業自得は、おまえの自業自得でもある」坂本ジョンは強引なことを言ってきて、私を苦笑させた。

隣のテーブルでちょっとした騒ぎが起きたのは、その時だ。

物音と声が同時に響く。革張りの椅子《いす》ががたっと床を擦《こす》り、立ち上がった男が、

「不甲斐《ふがい》ない！　だから、この国が駄目になるんだ」とはっきりした口調で言った。見れば、背が低く、首や手首の細い、高齢の男が皺の多い手を突き出し、目の前に座っている若者を糾弾するかのように、指差していた。言われた側の若者は、いかにも最近の軽薄な若者、といった風情《ふぜい》ではなく、短髪で黒縁メガネをかけた、真面目《まじめ》さがパーカーを着たかのような外見で、「あなたのほうが勝手だ」と言い返していた。「だって、あなたたちが何もしなかったから、法律は放っておかれて、その結果、税金は上がるし、いずれ戦争が起きれば、僕たちが行かされるんですよ」

「何かと言えば、誰かのせいにしやがって」高齢の男はよりいっそう興奮したのか、

大声を発する。

高齢の男の隣に座っていた中年男性が、「まあまあ」と宥《なだ》めるように、無理やり笑みを作る。

「そんなに勇ましいことを言うなら、あなたが名乗り出たらどうですか。募集していますよ」若者は怒っているものの、こちらはまだ冷静さがあった。

「俺はもう年だ。おまえたち若い奴らが行かないでどうする」

若者はそこで眼鏡の位置をいじくると、「いや、それは違いますよ。本当に国の未来を考えるなら、大事にしないといけないのは若者や子供です。僕たちのほうがこれからたくさんのお金を稼いで、税金を納めて、しかも消費活動を行いますよ。現代の戦争は別に白兵戦というわけではありません。軍事用の疑似昆虫がウィルスを撒《ま》きに来るような時代なんですから、年齢は問いません。たぶん、あなたのその力強さが求められています。やることは難しくないかもしれません。タブレットをいじるような作業かも」と述べた。

「あれはいったい何で喧嘩してるの」息子がいつの間にか、私に尋ねている。

「出よう」私が言うのと同時に、坂本ジョンも立ち上がっていた。

帰りの車中、当然のように後部座席には坂本ジョンが乗っていた。息子もなぜか、その隣がいい、と主張し、後ろの席でおとなしくしている。どこで降りる、とも言っていなかったがとりあえず国道を走った。

赤信号で停車し、外を眺める。ビルの高さを確認しようと視線を上にやると青白く塗られた空があり、それはまさに筆で塗ったかのような平坦《へいたん》な、作り物めいた色で、私の生きている日々が、はりぼての中の、計測器で見張られた仮想のものに思えてくる。

私の運転席の右側に、ミニワゴンが停車した。黒のトヨタの新型で、高速道路の自動走行も可能なものに違いない。私の会社が製造している、センサーが使われているはずだ。欲しかった車種であったからじっと眺めていると、唐突にワゴンのスライドドアが開き、中からバットを持った男たちが現われた。明らかにこちらを狙《ねら》っているのだろう、鼻息から不穏さをぷしゅうぷしゅうと噴き出している。

「坂本ジョン、これはいったい」私は後ろにいる彼に言うが、バックミラーの角度の問題なのか、一瞬、彼の姿が見つけられなかった。体を横にして眠っているのだろう、息子も見えない。

自分一人しかここにいないかのような気分になった。

とにもかくにも、子供を巻き込むわけにはいかない。

前にバットを持った男が立っていたが、私は、発進させてしまえ！　とアクセルを踏み込んだ。が、正面に人がいる状態では、安全センサーが警告を鳴らし、自動的にブレーキがかかる。安全第一、とはいえ、今、私たちにとっての安全は、ここで強引に発進することだった。機械は融通が利《き》かない！　嘆くが、どうにもならない。

警察車両の音がどこからか聞こえてくる。それが本物であるのか、それとも願望からくる幻であるのか。

三月一日

「慈郎、一緒にJリーグを目指そう」と呼び掛けられ、いったい何事かと前を見れば、若い頃の母がサッカーボールを抱えて、立っている。馬鹿な、と目を閉じ、もう一度前を見れば次は、女子高の制服を着た髪の短い女性が、「大人になったので結婚しましょう」と言ってくる。自分の手を見る。その指の皺が、Jリーグはもちろんのこと新しい挑戦など無理だと伝えてくる。

目を覚ました。壁に寄りかかっていた。慣れない姿勢での睡眠は、見慣れない夢を誘発させるのだろうか。

周囲を見渡し、そこが倉庫のような場所であるのが分かる。私は床と壁を繋《つな》げるL字フックの役割を担うかのように背筋と足をまっすぐに伸ばしていた。寝ていたにもかかわらず倒れていなかったのは、胴体ごと後ろの柱にロープで巻かれていたからだ。伸びた足の先には、穀物でも入っているのか麻袋がいくつも積み重なっている。隣には坂本ジョンが倒れていた。彼のほうは柱に巻かれてはおらず、手足がロープで縛られ、転がされている形だ。

私は伸ばしたつま先で、坂本ジョンの背を蹴《け》る。姿勢が不自由であるからではなく、腹が立っていたがために、強い蹴り方になった。坂本ジョンは呻《うめ》き、芋虫めいた動きをしたかと思うと身体《からだ》を起こし、膝を上手に動かしながら尻で滑り、私の横へ移動してくる。

「慈郎、やっと起きたか」

「こっちの台詞だ。どうしておまえに会うとこうなるんだ」

「それはこっちの台詞だ」

「いや、おまえの台詞ではない」私はすぐに言い返したがそこで思い出し、肚《はら》の底に冷たい息が吹きかかるのを感じた。「おい、息子はどこだ」

「慈郎、息子ってのは誰のこと言ってんだ」坂本ジョンが眉をひそめる。

「息子は、俺の息子の、ほら」そこまで言って、我に返る。小学生の息子など私にはいなかった。

倉庫のシャッターが重々しい音を立てた。暗い倉庫内に光が、それまでも窓ガラスより日差しが入っていたのだが、とにかく、入り口からの光が床に長方形を切り取るように広がった。

開いたばかりのシャッターをくぐり、二人の男がやってきた。細い体で、肌は艶々《つやつや》とし、流行の肩パット入りのジャケットを着ている。私たちの前に立つと、背筋を伸ばし、両足を少し広げた。

「おいおまえ」男が、坂本ジョンに言う。「やっと見つけたぞ。うちのじいちゃんを騙しやがって」

「それはいったい」坂本ジョンが泣きそうな声を出す。

「昔の情報を辿《たど》って、おまえのことを調べた」右側にいる男が表情もなく言った。少し色のついたメガネをかけている。それを通し、こちらの姿を録画しているのではないか。

「おまえ、まだ詐欺やってるのかよ」私が横を向くと、坂本ジョンはかぶりを振る。

「さすがにやってねえよ」

「いいか」男が言う。「うちのじいちゃんは、おまえの訪問販売詐欺のせいで痛い目に遭って、結局、最期《さいご》はほとんど自殺に近かったんだ。よろよろ、車の前に飛び出して。あんな死があるか」

「昨今の車だったら、安全仕様で衝突したくてもできなかったのに」その言葉は私が口にしたのか、坂本ジョンが発したのか、自分でも分からなかった。

「俺は、じいちゃんっ子だったからな、その恨みを晴らすことを目標に今まで来た」

「すごい執念」坂本ジョンが唾《つば》をのむ。

男たちは筒状のものを持っており、それを掲げたところ、スイッチを押したからだろうが、歪《いびつ》な形に尖った工具が筒の穴から飛び出した。

それで殴打《おうだ》されればかなり痛いだろう、とは予想でき、さらに、歪な形に尖っているだけあって、傷口を縫うのも大変だろう、とも想像できた。

ついこの間、とはいえ数年前だが、その戦争で使われた道具の一つかもしれない。

感染症をもたらす細菌が先端に塗られることもあったはずだ。

「本来なら、こんなことはしたくない。力の差がはっきりしているのに、相手をいたぶるってのは最低だからな」男は言った。

「だったら、俺たちに暴力を振るうのも」

「最初にやったのは、そっちだろうが。年金生活の老人をいいように騙した。うちのじいちゃんもな、薄々気づいてはいたんだよ。分かった上で、孤独な生活よりはマシだ、と騙されるほうを選んだわけだ。泣けるだろ」

「泣けます」坂本ジョンはおいおいと涙を流しかねない勢いで、頭を上下させ、謝罪しはじめる。

「子供叱るな来た道だもの　年寄り笑うな行く道だもの」右側に立つ男が言った。

「その詩、知らねえのかよ」

眉の形が似ていることから二人は兄弟かもしれない、と私は想像し、そこでふと左側の男の凶器を持つ手首が大きくえぐれているのが分かった。

私の視線に気付いたからか、男はその肉のえぐれを自分で確かめるように肘《ひじ》を捻《ひね》った。「戦争だよ。感染して、切除しなきゃいけなかったんだよ」と答えた。なぜか、私ではなく坂本ジョンのほうを見ていた。

すると、坂本ジョンが、動物じみた声を吐き出した。

男たちの武器で殴られたのだ。血を散らし、坂本ジョンは後ろにひっくり返る。仰向けになった胸を、男は靴で踏んだ。そして、馬乗りになると肘を何度も上下させ、坂本ジョンを打擲《ちょうちゃく》する。

ついに坂本ジョンも年貢《ねんぐ》の納め時、最期の時がやってきたのか、と私は自分の分身のおしまいを見届ける気持ちになり、ようするに実感を伴った恐怖を感じられなかったのだけれど、ぼうっと眺めるだけとなった。

坂本ジョンの呻き声が聞こえなくなったところで、男たちが武器を振り上げるのをやめ、すっと後ろに下がる。

坂本ジョンが鼾《いびき》をかきはじめた。まだ息があったか。安心するが、すぐにそういった鼾が、脳に重大な打撃が加えられたがための、危険度の高い状態の印だと気づいた。すぐに病院に運ばなくてはいけないはずだ。

いよいよ私の番か、私も殴られる。そう覚悟するが、男たちは興奮のせいなのか、こちらにはなかなか向かず、呼吸を荒らげて、鼾をかく坂本ジョンをじっと見つめていた。

私のことなど目に入っていないのかもしれない。その場には、坂本ジョンしかいないような様子ですらあった。

そこで、だ。

麻袋が横から飛んだ。

反射的に男はその麻袋を胸で、両手を使い、落下する赤ん坊を救うかのような恰好《かっこう》で、キャッチする。もう一人のほうにも間髪容《い》れず、麻袋が飛んだ。

別の男が現われ、投げたのだ、とは遅れて気づいた。

袋を投げた男は、両手がふさがった状態の二人を両手で突き飛ばした。どっと制服警官が駆け込んでくる。警棒を取り出し、男たちに当てた。初めて目にしたが、電子警棒の威力は明白で、男二人はほとんど声も発することなく、体を、ぴーん、と硬直させる。

私の前には、馴染《なじ》みのある顔があった。「ほら、体を起こして」と身体に巻きつくロープを切断してくれる。

「ああ、助かった」

「行方が分からないから、探したよ。また坂本ジョンと一緒だったし、何か物騒なことに巻き込まれたんじゃないかと心配だったから」

「この場所は」

「坂本ジョンは、自分の身に何かあった時のためにチップ手術受けてるんだ。バイタルサインの。もしかして、と思って、登録してある病院を訪ねたところで、ちょうどサインが来たんだ」

バイタルサインのことは前にネットニュースで読んだ。独り身の老人が突然倒れた場合や孤独死となった際に、発見してもらえるように、生命維持に関して危機が迫ると、登録済みの医療機関に通報できる仕組みになっているのだ。

もともとは先の戦争で、兵士のために開発された技術だった。

白いコスチュームの医療チームが数人、坂本ジョンを抱え、運んでいく。

坂本ジョンがお守り代わりに持っていたはずの、干支の猿のアクセサリが地面に転がる。

「頼むよ、親父」

母が消え、妻が消え、息子だけが残った。

三月二日

坂本ジョンの葬儀はそっけないものだった。親族はほとんどおらず、甥《おい》だという男が喪主として仕切っていたが、私はその甥の存在など初めて知った。

「慈郎さんですね」セレモニールームの控室で、急に声をかけられ、誰かと見ればそれがその甥で、「ジョン伯父からいつも聞いていました。慈郎さんとの腐れ縁を。だから僕も他人とは思えなくて」と見つめてくる。

控室にはぽつぽつと参列者と思《おぼ》しき男女が入ってくる。近所の同世代の者たちなのだろうか。スタイルの良い、礼服の上にさらにフェロモンを振りかけたかのような女もいて、そのあたりは何とも、坂本ジョンの知り合いに相応《ふさわ》しい、と私は思った。

「まさかジョンが本名だったとは」私はセレモニールームの外に掛けられていた、葬儀案内の名前を見たことで、初めて、坂本ジョンが正式名だと知った。長い付き合いの中で、ずっとそこが曖昧なままであったことがおかしかった。

先ほど坂本ジョンの顔は見てきた。棺《ひつぎ》に入り、天井を向いた状態で瞼を閉じていると、ただ怠けて眠っているだけとも感じられた。

「慈郎さん、実は昨日、伯父さんの部屋を片付けていたんですけど」甥が言ってくる。

「日記が出てきまして」

「日記？　まさか」と言いかけた。あの、その場しのぎの連続で生きているだけの男と、根気良く続ける作業の代表格であるところの「日記」とはまるで相容れないものに思えた。「坂本ジョンの日記」とはそれだけの、何らかの諺《ことわざ》か故事となりそうだ。

「あいつが続けられるわけがないだろう」

「ええ、ですから、はじめてはやめ、はじめてはやめ、の連続で何冊もありました。何年かに一回、やろうと思うんでしょうね。伯父らしいです。しかも、昔のは紙でしたけれど、電子媒体になって、最近では音声筆記を使っていたみたいです」

「あいつとはほとんど会っていなかった。しかも、会うたびに面倒なことが起きた気がする」私は言ったところで、親族の前で溢《こぼ》す愚痴でもないか、と口を閉ざした。

「伯父は、一月に日記をはじめてはすぐにやめているので、どれも三月くらいまでしか続いていないんですが、その中に、慈郎さんと会った記述が何回か出てきます。偶然なんでしょうが、二月下旬に会っていることが多いんですね」

「二月下旬？」

「三月頭にかけて」甥は取り出した半透明の不定形タブレットを宙に浮かばせ、手でなぞる。グラフでも出そうというのだろうか。

「あれはいつだったのかな。坂本ジョンが昔の恨みで、めった打ちにされたのは」

「あれも二月下旬か三月上旬でした。今から十年くらい前ですね」

「十二年前か。中年だったのを覚えてるから、ちょうど一回り昔だった」

麻袋により救われた後で救急隊員に運ばれる際、坂本ジョンの体から、猿の形のアクセサリが落下したその場面が、目に焼き付いていた。しぶといというべきか、あの時の坂本ジョンは運び込まれた病院で手術を受け、意識を取り戻した。

「日記によれば、伯父が還暦になる直前です」

「その前にも襲われたことがあった。息子がまだ小学生の頃だ。車に乗っていたら、赤信号で横のワゴンの男たちが襲ってきて」

あの時は、たまたま通りかかった警察車両に救われたのだ。私たちは四十代の半ば過ぎだった。

「伯父が言うには、慈郎さんだけらしいですよ」

「何が」

「嫌がらずにずっと付き合ってくれたのは」

「嫌がってはいた」

甥は笑う。その後で、葬儀に不謹慎だったかと反省したのか口を噤《つぐ》み、棺のある部屋のほうに目を向けた。

「あいつは怠惰で不埒《ふらち》な生き方をしていたから、きっと事件に巻き込まれて死ぬもんだと思っていたよ」私は肩をすくめる。

「伯父ですか？　たぶん本人も食あたりで最期を迎えるとは思っていなかったんじゃないですか」

生焼けの肉を食べたところ、細菌感染症となり、腹痛と嘔吐《おうと》下痢の症状で緊急入院したものの、坂本ジョンは日ごろの不摂生のせいなのか、抗生物質が効かず、そうこうしているうちに体力が落ち、院内感染にも巻き込まれた。私は、彼の病状が悪化してから連絡を受け、一度、見舞いに行った。苦しそうに横になる彼を眺め、私は自分が死を迎える際のことを考えずにはいられず、死とは決して穏やかな微睡《まどろ》みの中で迎えるものではないのだ、という現実を突き付けられる思いだった。

息を吐き、周囲を見れば誰もいなくなっていた。みな、会場に移動しているのか。もともと私一人であったのではないか。心細くなりつつ立ち上がる。

壁に鏡がかかっており、私の顔が映っている。乾いた樹皮にも似た肌をし、白髪交じりの眉《まゆ》をつけた男が、こちらを見ていた。

坂本ジョンの棺には、干支《えと》の猿にちなんだ物を入れてあげれば良かっただろうか、と今頃、思う。

葬儀への関心はなくしていた。坂本ジョンとの時間を葬《ほうむ》り去るつもりはなく、かといって、やはり彼とこれ以上関わり合いたくない、という気持ちも強く、気づけば建物の外に出ている。

十五年前に亡《な》くなった妻のことが、先の戦争で使われた軍事用昆虫の被害で感染症に罹った彼女のことが、頭をよぎった。

三月とはいえ、まだ寒々しい風が吹き付ける。さらに、私の首筋を撫《な》で、手袋をしていない拳《こぶし》をぎゅっとつかみ、親の仇《かたき》に息を吹きかけるかのように、冷やしてくる。すれ違った中年の婦人たちが、もう戦争なんて懲《こ》り懲《ご》り、と言っているのが聞こえてきた。

私にはそれが、自分の脳が気まぐれで見せた、実体を持たない人の姿にも思える。

三月三日

自宅の、介護ベッドで横たわりながら、室内に浮かび上がる息子の立体映像と会話を終えたところだ。

リモコンを操作し、背もたれを倒した。

「どうされましたか」

急に声がしたため、あ、と私は声を上げる。見上げた天井近くに、介護担当者の顔があった。

「どうやら間違ってボタンを押したらしい」私が説明すると、立体映像がぷつんと切れた。急に静かになる。父のことを久しぶりに思い出した。父が死ぬ前に遭遇した、幻の人物たちと、これらの立体映像とはどこが違うのか。そして、息子にも、父の晩年、死の直前の症状について、Jリーグを目指そうと言ってきた田中さんの話を、喋《しゃべ》っておくべきではないかと思った。

先ほど、換気のために開けた窓から風が入り込んでくる。風の吹き方や冷たさは、昔からさほど変わらない。どこかで何者かがマイク越しに声を上げているのが、聞こえてくる。戦争反対なのか、それとも増税反対なのか。

どの時代のどの日も、「戦前」で、「増税前」だ。

どちらも終わりがない。

次の申年《さるどし》が来るまでに私は死ぬだろうか。

どうだろうな、と坂本ジョンが言った。

if

A

もし、あの時、ああしていればどうなったのか、と想像する。過去の情報と感情、記憶と思い出を参考に決断を行うのが人間であるから、誰であれ、「あの時、ああしていれば」と考えることはある。山本《やまもと》ももちろんそうだ。

通勤のための路上を歩きながらふとした拍子に、「ああ、あの時」と考える。中学の頃、同級生の男子が、大人しい女の子をからかっていた時、どうして庇《かば》ってやらなかったのか、庇っていればあの子は、とくよくよする。

いつも通りに妻の、「いってらっしゃい」を背中で聞き、家を出てバス停の向かい側まで辿《たど》り着いたところ、腰の曲がった老女を見かけた。朝早くに、道にでも迷ったのか周囲をきょろきょろと見回している。

声をかけようとした。が、そこで近づいてくるバスの姿が目に入り、悩む。どうかされましたか？　と彼女に声をかけ、その結果、たとえば道を訊《たず》ねられ応対することになったら、おそらくバスには乗れないだろう。乗り損なうと次にバスが来るのは十分後、門場《もんば》駅からの列車のことを考えるとそれでは始業に間に合わない。

山本はすぐに判断した。彼女が何に困っているのかは分からぬし、そもそも困っているかどうかもはっきりしない。自分が手助けする必要はない。老女の脇《わき》をすっと通り過ぎると横断歩道を渡り、バス停の列に並んだ。

バスが到着し、扉が開き、前の人に続く形でステップを上がり、乗り込む。

座席はほとんどが埋まっており、吊《つ》り革につかまる乗客はいない。山本は定位置といえる、車両真ん中ほどの一人用の椅子《いす》に腰を掛けた。

山本の住む住宅街にいる会社員は、都内まで出るために徒歩で三十分はかかる門場駅へ向かわなくてはならず、それにはこのバスを利用するのが最も便利だった。そもそも住宅街ができた時もその、「バス一本で直行！」が謳《うた》い文句であったのだが、乗り合わせる面々も自《おの》ずと知った顔ばかりだ。とはいえ世間話をするほど仲が良いわけでもなく、それればかりかそれぞれの素性すら分からない者が大半で、お互いの正体を詮索《せんさく》せぬことが暗黙の了解という雰囲気もあった。

車内で大声が張り上げられた時、山本は何が起きたのかすぐには分からなかった。車両後方にいる乗客だ。悲鳴が聞こえたのは間違いないが、騒然とするわけでもなく、むしろみなが一斉に息を呑《の》んだためか車内が静まり返った。

男が立ち上がり、刃物を持ち、横にいる女性に突き付けている。犯人は、もはやその男は、どこからどう見ても、「犯人」の肩書が相応《ふさわ》しかったのだが、「おい、立て」と声を出した。弱々しく、震えすら感じさせる言い方だったのが、強い口調で繰り返した瞬間、引き締まり、それは彼の何らかの覚悟を引き出したようでもあった。

眼鏡をかけ、耳が大きく、髪は長い。中肉中背で、若く見えるが年齢不詳だった。いつから乗っていたのか分からないが、毎日の通勤時に見かける顔ではない。

どうしてこのバスに、とはじめはそのような疑問が、山本の頭には浮かんだ。その理由が何であれ、重大な危機がすぐここで勃発《ぼっぱつ》している事実は変わらないのに、だ。

おそらく現実を認めたくなかったのかもしれない。まさか、そんなことがあっていいのか、と頭がついてこない。

「おまえたち、動くな。動いたら刺すからな。電話もメールもするなよ。分かったな！」犯人のその言葉は、山本の全身を縛る鎖のようだった。

刃物の先が女性に当たっている。女性は若く、色白で、白いシャツを着ていたがその首筋に尖《とが》った刃が向けられている。少し力が込められれば、その瞬間、鮮血が飛び出し、彼女の服が赤く染まるはずで、想像するだけでも山本はその場に卒倒しそうだった。

「落ち着いて」と彼らの後ろにいる婦人が声をかけた。

別の男性も、「落ち着いて。何でこんなことを」と呼びかけている。

きゃあ、と悲鳴が上がった。刃物をつかんだ男がそれを振り回し、女を抱え込んだまま前方へ移動をはじめたのだ。「運転手、バスを停めろ！」と大声を張り上げた。体全体から、さまざまな不満や憤《いきどお》りを、チューブから絵具をひねり出すかの如《ごと》く、声自体が苦悶《くもん》に満ちたもので、それはほとんど、「俺の人生を止めろ」と叫んでいるようだった。彼の体から飛び出した黒色の絵具で、バスの車内が塗られていくのだ。

運転手はすでに、車内の異常事態には気づいていたらしく速度を落としていた。「停車します」と緊張した声をマイクで発し、バスを路肩に停める。

「エンジンを切れ」犯人が命じる。女はすでに、自分に突き付けられた切っ先の感触に失神寸前という様子でもある。

「いいか、こっそり通報しようとするなよ。全員、両手を挙げておけ。言うこと聞かねえとほんと刺すからな」

乗客はみな、すっと腕を出し、肘《ひじ》から曲げる恰好《かっこう》で上に挙げた。

「ねえ、あなた、落ち着いて」最前列の席に座る女性が、背は低いが背筋の伸びた、よく見る中年女性だったが、彼女が横に立つ犯人に言う。

「うるせえ、どけ」彼女をどかす。犯人は肘置きに寄りかかるようにした。

いったいどうなるのか。どうすべきなのか。

山本が逡巡《しゅんじゅん》しているうちに犯人が、「おい、おまえたち」と叫んだ。「おまえたちのうち、男は全員、降りろ」

その瞬間に思いついたものなのか、それとももともとのプラン通りなのか、山本には判然としない。が、犯人の狙《ねら》いについてはあたりがつく。自分の脅威となりそうな男たちを排除し、残りの女子供を人質にして立てこもるのだ。

山本がそこで真っ先にやったことは何だったか。

「俺たちだけ降りるわけにはいかない！」という抗議か。違う。「性差別だぞ」と叫ぶことか。違う。

周囲を見渡していた。

ほかの男たちはどういう行動を取るのか、と咄嗟《とっさ》に窺《うかが》ったのだ。

それは、首鼠両端《しゅそりょうたん》、立場を決めかねているというよりは、自分が望む選択をほかの者たちも多数支持してくれないだろうか、という思いからだった。

ほかの男たちも同じだったのかもしれない。みながきょろきょろと臆病者《おくびょうもの》の表情のまま、責任から逃れる道筋を模索するかのように顔を見合わせている。

決断を促したのは犯人の、「さっさと降りろ！　何を相談しているんだ。今すぐ、降りて行かないと本当に刺すぞ。早くしろ！」という急《せ》き立てる声だった。カウントダウンさながらに、十から数を発声していく。

気づけば数人の男たちが前方の出口へ向かい、歩きはじめた。朦朧《もうろう》とし、魂の抜けたような弱々しい列ができる。残される女性たちは怯《おび》えた目で男たちを眺めるが、非難の声も上げない。

「おい出口、開けろ」犯人が言い、運転手が扉を開けた。

瞬間、山本の頭を駆け巡るのは、二十年前、中学生の時のことだ。からかわれていた女子生徒を庇わなかった自分の不甲斐《ふがい》なさを、大きな布で包んで、投げ捨てたくなる。

今ここでこのまま降りてしまったら、いくら犯人の要求とはいえ、いくら緊急事態の不可抗力とはいえ！　二十年前の出来事と同じく、いやそれ以上に、のちのちまで後悔するのは間違いない。そのことくらいは山本にも分かった。

が、気づけば列に並んでいた。

首をすくめ、足元だけを見つめ、罪人同然の気持ちでバスの出口へ向かっていたのだ。

自分を叱咤《しった》する内なる声が響く。引き返さなくていいのか？　立ち止まらなくていいのか？　刃物があるとはいえ相手は一人ではないか。男全員で動けばどうにかなるのではないか。が、その思いも、家族の姿により掻《か》き消された。妻と、生まれたばかりの息子だ。自分は無事に家に帰らなくてはならない、無事に帰りたいのだ、と内心で弁解している。

足は止まらず、山本はみなが行くのに任せ、バスの外へ出た。地面に降り立った瞬間、体の底から湧《わ》き上がってきた安堵《あんど》に、山本は気づかぬふりをする。

男たちはしばし呆然《ぼうぜん》とした後、「警察に通報」と呟《つぶや》いたが、その瞬間、バスはぶるっとエンジンを動かし、目覚めた獣のように震えながら発進していった。

どうしてあの時、と山本は頭を抱え、叫びたくなる。犯人の言葉に従ってしまったのか。あれで良かったのか、と狂おしい思いで胸が張り裂けそうになる。

が、そこでさらに別の後悔が山本の全身を走る。

あの時、あの老女に声をかけ、バスに乗り遅れていれば自分はこのバスに乗ってはいなかった。すなわち、このような事件に巻き込まれなくて済み、このような恐怖や自己嫌悪《けんお》とは無縁でいられたはずだ。

どうして彼女に声をかけなかったのか！　やり直せるのであれば、絶対に声をかけるのに。

後悔先に立たず、覆水盆に返らず、こぼれたミルクは戻せない。とはいえ、どうにかやり直せないものか。

B

いつも通りに妻の、「いってらっしゃい」を背中で聞き、家を出てバス停の向かい側まで辿り着いたところ、腰の曲がった老女を山本は見かけた。朝早くに、道にでも迷ったのか周囲をきょろきょろと見回している。

声をかけようとした。が、そこで近づいてくるバスの姿が目に入り、悩む。

どうかされましたか？　と彼女に声をかけ、その結果、たとえば道を訊ねられ応対することになったら、おそらくバスには乗れないだろう。乗り損なうと次にバスが来るのは十分後、門場駅からの列車のことを考えるとそれでは始業に間に合わない。彼女が何に困っているのかは分からぬし、そもそも困っているかどうかもはっきりしない。自分が手助けする必要はないだろうとも思う。

ほどなく、山本は判断した。

老女に近づくと、「あ、何かお困りですか？」と声をかけたのだ。

「え」と彼女は顔を上げ、山本をまじまじと見た。「ああ、実はこのあたりにコンビニエンスストアはないかと思って」と想像していたよりも明瞭《めいりょう》な声で言ってきた。

向かいの停留所にバスが停まるのが見える。乗客たちが次々に乗り込んでいくが、すでに乗車を諦《あきら》めた山本は焦《あせ》ることがない。会社に遅刻するのであれば、それでいい、とのんびりと思うほどだった。

「ああ、コンビニなら」と後方を指差し、ここをまっすぐに行くとありますよ、と説明する。

「助かります。ご親切にどうも」老女ははきはきと答えるときびきびと立ち去った。

目をやれば、依然としてバスが停まったままだった。山本は慌《あわ》てて、地面を蹴《け》った。まだ間に合うのではないか、と横断歩道を渡る。ちょうど車両の運転席にいる運転手と目が合い、おそらくは山本が乗りたがっていることを察したのだろう、バスを発進させずに待っていてくれた。

車内に飛び込むと同時に扉が閉じる。

座席はほとんどが埋まっていたが、山本の定位置といえる、車両真ん中ほどの一人用の椅子は空いていたため、そこに腰を掛けた。

バスの乗客たちは、通勤時に一緒になるため、たいていが知った顔だったが、とはいえ、世間話をするほど仲が良いわけでもなく、それればかりかそれぞれの素性すら分からない者が大半で、お互いの正体を詮索せぬことが暗黙の了解という雰囲気もあった。

車内で大声が張り上げられた時、山本は何が起きたのかすぐには分からなかった。

車両後方にいる乗客だ。悲鳴が聞こえたのは間違いないが、騒然とするわけでもなく、むしろみなが一斉に息を呑んだためか車内が静まり返った。

男が立ち上がり、刃物を持ち、横にいる女性に突き付けている。犯人は、「おい、立て」と声を出した。弱々しく震えすら感じさせる言い方だったのが、強い口調で繰り返した瞬間、引き締まり、自分の役割をついに思い出した役者が張り切るかのようだった。

中肉中背で、年齢不詳だった。いつから乗っていたのか分からないが、毎日の通勤時に見かける顔ではない。

山本は眩暈《めまい》を覚える。どうしてこんなことが、と茫然《ぼうぜん》とし、夢なら覚めてほしいとまばたきを何度もやった。

現実を認めたくなかった。まさか、そんなことがあっていいのか、と頭がついてこない。

刃物を持った男は、動くんじゃないぞ！と叫んだ。刃の先は女性に当たっている。

女性は若く、色白で、白いシャツを着ていたがその首筋に尖った刃が向けられている。

少し力が込められれば、その瞬間、鮮血が飛び出し、彼女の服が赤く染まるはずで、想像するだけでも山本はその場に卒倒しそうだった。

「落ち着いて」と彼らの後ろにいる婦人が声をかけた。

別の男性も、「落ち着いて。何でこんなことを」と呼びかけている。

山本の頭の中では、「あの時、ああしていれば」の洪水が押し寄せてくる。

そうこうしているうちに、刃物をつかんだ男がそれを振り回し、女を抱え込んだまま前方へ移動をはじめた。「バスを停めろ！」と大声を張り上げ、運転手に命じている。体全体から、さまざまな不満や憤りを、チューブから絵具をひねり出すかのような必死さで振り絞った声だった。

運転手が、「停車します」とマイクで発し、バスを路肩に停める。

「いいか、全員、両手を挙げておけ。言うこと聞かねえとほんと刺すからな」

乗客はみな、すっと腕を出し、肘から曲げる恰好で上に挙げた。

いったいどうなるのか。どうすべきなのか。

山本が逡巡しているうちに、犯人が、「おい、おまえたち」と叫んだ。「おまえたちのうち、男は全員、降りろ」

山本は、犯人の魂胆がすぐに分かる。自分の脅威となりそうな男たちを排除し、残りの女子供を人質にして立てこもるのだ。ああ、こんなことが起きるとは、と茫然とした山本はそこで、周囲を見渡した。

ほかの男たちはどういう行動を取るのか、と咄嗟に窺った。それは、首鼠両端、立場を決めかねているというよりは、自分が望む選択をほかの者たちも多数支持してくれないだろうか、という思いからだった。

「さっさと降りろ！　今すぐ、降りて行かないと本当に刺すぞ。早くしろ！」犯人が急き立てる声を発する。

気づけば数人の男たちが席を立った。山本もそれに引き摺《ず》られるかのように腰を上げる。

「ドア、開けろ」犯人が言い、運転手が扉を開けた。「おまえたち早く、降りろ」と男の乗客に対し、出口方向を指差す。

男たちは通路に緩やかに列を作り、車両の前方へと向かう。山本もその一員だった。じろじろと犯人を見て、刺激してはならない。山本は自分に言い聞かせ、靴を見るような姿勢で、ゆっくりと前進する。

犯人はこちらを警戒しながら、刃物を女に突き付けている。

「あ、あの」前のほうにいる男が、背広を着た定年間近の、もちろん彼もこの通勤バスの仲間であるのだが、その彼が犯人に呼びかけたのはその時だった。「あの、ちょっと」

「何だよ、早く降りろよ」犯人が寄りかかっていた椅子から姿勢を起こし、刃物を男に向ける。

「あ、あの、いや、一言お礼を」男は怯えながらも言った。

「早く降りろ!」

「お礼を」男は構わずに、続けた。「どうもありがとう」

「何だと?」

「挽回《ばんかい》のチャンスをくれて、本当にありがとう」

山本も同じ思いだった。おそらくそこにいる大半の客がそうだったはずだ。男たちは、犯人につかみかかった。一人が刃物の腕を抱くようにすると、別の一人が女を抱えるように引き剝《は》がす。山本は犯人のもう一方の腕をつかんだ。自分が怪我《けが》をするかどうかはまったく気にかけていなかった。

もうごめんだ。その思いだけが、山本の体を駆けている。

二十年前、同じく通勤時のこのバスで、刃物を持った男が暴れた。山本たち男性客は、犯人の指示するがままに車両を降りた。犯人はその後、運転手に命じ、少し離れた場所のショッピングモール駐車場に車を停めさせ、立てこもった。結論から言えば、人質はみな無事で、犯人は警察の突入により逮捕された。先に降車した男たちが非難されることはなかったが、それ以降の山本の人生はそのことに囚《とら》われ続けた。

あの時、どうして自分は立ち向かうことができなかったのか。犯人の言いなりだった自分の不甲斐なさを思い出すだに自己嫌悪に襲われ、妻や子供にも申し訳なさを感じるほどだった。

事件の後、引っ越す者や交通手段を変える者はいた。が、大半は同じ通勤バスを利用し続け、何しろ住宅街から駅に出るルートは何年経《た》ってもそのバス路線しかなかったからなのだが、山本はいつも乗るたびに、「腰抜け」のシールを背中に貼《は》られている感覚に襲われた。畏怖《いふ》を覚え、足がすくむこともあった。ほかのみなもそうだろう、とは想像できた。後ろめたさは一向に薄れず、罰を受ける思いで、バスに乗っていた。時折、ふとした拍子に、「どうしてあの時」という考えが浮かび、そのたび胸を絞られる思いに駆られた。

二十年の歳月が流れ、事件はすでに風化したも同然、過去のものとなったが、山本たちにとっては永遠に消え去らない出来事に他ならない。みながあの事件を母とする異父《いふ》兄弟とも言えた。毎朝、顔を合わせるたび、お互いが、自らの心に刺さった棘《とげ》の痛みに顔を歪《ゆが》めるような感覚だった。

それが二十年を経て、また同じことが起きた。実を言えばそれは、二十年前にバスジャックを行った犯人が再び起こした事件だったのだが、その時の山本たちはもちろんそのことを知るわけもなかった。犯人は逮捕されたことを根に持ち、ようするに罪を犯したことを反省することはなく、服役中もひたすら、「あの時、ああしていれば」と考えてばかりだった。そして釈放後、「次こそは完遂してみせる」と決意し、またバスに乗ってきたのだ。

山本は必死に犯人を押さえつける。その姿は堂々としており威風《いふう》すら感じさせた。今度こそは自分をがっかりさせてはならない。

一人では無理がある

林衿子《はやしえりこ》はその日、電話の音で目が覚めた。固定電話が鳴るのは久しぶりで、寝ていたこともありはじめは何の音が鳴ったのかと混乱した。夫は出張で札幌に行っており、夕飯もできあいの惣菜《そうざい》で済ませ、テレビドラマをのんびりと眺めた後で、ベッドで雑誌をめくっていたらいつの間にか寝ていたらしい。枕元《まくらもと》の時計を見れば深夜二時だ。こんな時間に固定電話が鳴るとは何事か。思い出すのは、二年前、母が六十三歳で亡《な》くなった時のことだ。同窓会の二次会を終え、駅から歩いている時に車にはねられた。その連絡が、林衿子の固定電話を鳴らした。

二十歳違いの母は、ほとんど姉のような存在だった。林衿子自身が二十歳で娘の梨《り》央《お》を産んだことを考えると、歳《とし》の離れた三姉妹とも言えた。その長女たる母の死はいまだに実感が持てず、どこかの土地で自由に生きているのではないかと思いそうになる。

深夜や朝方の電話は不吉、夫はそう言ったがまさにその通りで、だから林衿子もその電話を取るのがためらわれた。

夫の身に何かあったのか、それとも、と悪い想像が頭の中で一斉に湧《わ》く。

着信音が鳴りつづけ、寝ぼけた頭のまま電話機に近づいていけば、小さな液晶画面に、東京に住む、娘の梨央の名前が表示されていた。

大学入学と同時に、茨城のこの家から東京へ出て一人暮らしをはじめ、卒業後、すぐに妊娠、結婚をした。若くして子供を授かり、それから結婚する、というスタイルは、母の代から続く伝統のようなものであったから特に抵抗はなかったが、孫の礼一《れいいち》となかなか会えないことは林衿子には少し不満ではあった。

子機を耳に当て、「梨央？」と言う。「どうしたの」寝ぼけた頭がようやくそこで駆動しはじめ、すぐに思い浮かんだことを口にする。「もしかして、栄一《えいいち》さんに何かあった？」

栄一は、娘、梨央の結婚相手、つまり林衿子からすれば娘婿《むすめむこ》となる。背は高くないものの肩幅は広く、大学時代はラグビー部の主将をしていた。今は、引っ越し会社で、二歳になる子どものために働いているのだが、つい先週、家具の下敷きとなり太腿《ふともも》を骨折し、入院中だった。大腿骨《だいたいこつ》骨折が命を奪うとは思っていなかったが、深夜の電話の不吉さが、咄嗟《とっさ》にそう連想させた。

「ううん、栄一君は病院だから」

「あ、礼ちゃんに何かあった？」さすがにその想像が浮かぶと、頭がクリアになった。孫の身に何が？　礼一は熱でも出したのだろうか。いや、それくらいであればわざわざ実家に電話をかけてはこないだろう。となれば、通常の病気とは違う症状でも出たのだろうか。気が急《せ》き、「どうしたの、どうしたの」と声を大きくしてしまう。

「お母さんに前、話したことあったっけ？　わたしのバイト時代から付け回してきている男がいたの」説明しながらも電話の向こうの梨央は明らかにそわそわしている。声が囁《ささや》くようであるのは、礼一が眠っているからだろう。

「付け回し？　ストーカーってこと？」梨央が大学病院内の食堂で働いていたのは出産や結婚より前のことになる。二年以上昔だ。

「よく来るお客さん、たぶん医者の卵というか」

「それがどうしたわけ」早く結論を知りたくて、急かさずにはいられない。

梨央が話すにはこうだった。

医者の卵は、梨央を付け回し、当時住んでいたマンションを突き止め、近くをうろつき、気味が悪かった。が、栄一が一度、叱《しか》りつけ追い払って以来は姿を見せなくなり、さらには結婚、出産に伴い引っ越しもあったから、日々の子育ての中ではその男のことなどすっかり忘れていたところだった。

が、それが突如、喫緊の問題として浮上してきたのだという。

「たまたま、会っちゃったの。レンタルビデオ店で働いていて、その男が」

孵化《ふか》したら医者じゃなくて、レンタルビデオ店の店員だったのか、と林衿子は思うが、口には出さない。

「普通、個人情報だから店員だって覗《のぞ》けないと思うんだけど、その人、わたしのメールアドレスと住所、それで知っちゃって」

「でも、梨央、あんた結婚して子供もいるんだよ？　いまさらその男だって、どうこうしようとは思えないんじゃないの」

「普通だったらね。ただ、普通じゃないんだと思う」

「じゃあ、ほら、栄一さんが退院したら、今度は強めに言ってもらって」

「もし、無事だったらそうする」

「え？」

「さっき、その男からメールが来たの。これから来るって」

林衿子は状況が飲み込めず、短い音を口から発するだけだ。時計を再確認してしまう。何度見ても、深夜二時過ぎだ。「これから、って今から？」

「栄一君が入院中って、どこからか知ったみたい。で、うちに来るって」落ち着こうとしていたのだろうが、そのあたりで梨央が早口になりはじめる。「ひどいことするってメールには書いてあった」

何それどういうこと、と言いかけたところで、梨央の短い悲鳴が聞こえた。どうしたの、どうしたの、と林衿子は電話子機を齧《かじ》らんばかりに言葉を注ぎ込む。

「エレベーターの音。うちの部屋って、夜だと少し聞こえるんだけど、今動いた」

梨央の賃貸マンションは三階建て、部屋はその三階にある。昇ってくるのだとすれば、さほど時間はかからない。

「梨央、梨央、鍵《かぎ》はかけてるんでしょ？」

「うん。ただ」「ただ何？」

「うちの鍵、少し壊れているから、思い切り引っ張られたら開くの」

「何で壊れたままにしてるわけ」

「壊したのもあの男なのかも」梨央がぼそっと言った時、向こうでは子供が泣く声がした。「ああ、礼ちゃん大丈夫だよ大丈夫だよ」と娘が必死になだめている。

林衿子はもはやじっとしていられない。あたふたと部屋を歩き回り、意味もなく家の鍵をつかんでしまう。今から茨城の家を出ても、どうしようもないというのに。

「お母さん、まずい、ほんとに来た」

警察！　林衿子はほとんど叫んでいる。「警察に電話して、ドアが開かないように押さえてなさい」

「あ、うん」梨央は言うが、果たして礼一が泣いている状況で、玄関での攻防が可能なのかどうか。

「それから、包丁でもいいし、バットとかないの？　武器になりそうなものを用意して」と言いかけて、もし相手に奪われたら目も当てられない、と思い直す。他に何か身を守るすべはないのか。

そもそもその男は何をするために来るのか。

とにかく、警察に電話するためにはこの電話を使わなくてはならない、と梨央が電話を切った。

ただの音が続くだけの電話子機をつかみ、林衿子はその場にしゃがみ込む。体中が、脈動で跳ねている。

仏壇のところに行き、母の写真の前で手を合わせる。無事でありますように、無事でありますように。

固定電話が鳴ったのは、それから十分ほどしてからだった。しがみつくようにし、子機を取り、耳に当てる。瞬間的に頭を過《よぎ》るのは、警察を名乗る人物からの暗い声だった。「梨央さんのご家族の方ですか」と言われたら、それは最悪の事態を意味する。母親が亡くなった時と同じだ。

「お母さん」弱々しい梨央の声がした。咄嗟に、刃物で傷つけられ瀕死《ひんし》状態でスマートフォンを握る姿を想像しかけ、慌《あわ》てて頭を振るが、すると、「無事。やっつけた」という言葉が聞こえ、ほっとする。硬直していた心臓が再び動き出すかのようだ。

「やっつけた？　どうなったの」

「わたしが、あの男をやっつけたの。息はしてる。意識を失ってるのかも」

「礼ちゃんは」林衿子は訊《たず》ねる。「あなたは無事？　どうなったの。何があったの。どうやってやっつけたの」

「わたしが」梨央は、興奮が遅れて、全身に回ってきたのか声が震え出していた。

「殴ってやったの。あっちは刃物、持っていて」

「それで」

「あ、警察。お母さん、パトカーが来た」梨央は依然として呆然《ぼうぜん》としているようではあったが、光のこもった声を響かせる。サイレンの音は聞こえないものの、林衿子は溜《た》め込んでいた息をゆっくりと吐き出すと、クリスマスプレゼントを買ってあげなくちゃ、と梨央が言うのが聞こえた。

◇

松田《まつだ》陽一《よういち》は会議テーブルの端に座り、配られている資料にじっと目を落としながら、早く部署に戻りたい、と思っていた。自分の部署に幸せが待っているからではない。むしろその逆で、リーダー職の自分を待っているのは、各担当者からの報告、連絡、相談ばかりだ。が、会議はそれ以上にくたびれてしまう。

気もそぞろであったのがばれてしまったのか、「おい、松田の担当エリアはどうなってるんだ」と本部長から声をかけられる。

その場にいるリーダー十数名の瞳《ひとみ》が、松田に向けられた。

急なことに思わず、はい、と高い声を出してしまった。「今のところ大きな問題はありません」

「去年のようなミスはないよな？」本部長が厳しい目で言う。目つきは鋭くても、こちらを非難するようないやらしさはない。

「あ、ええ、はい」

「もう、鉄板ネタはいらないからな」

その場にいる会議出席者がみな、笑い方の大小はあるものの、声を立てた。松田は顔を赤らめながら、「勘弁してくださいよ」と答えるのが精いっぱいだった。隣にいる、緑川《みどりかわ》杏珠《あんじゅ》も愉快げで、あなたに喜んでいただけるのなら本望です、と松田は言いたくなる。

「本部長、でも、鉄板と言われたらふつう、鉄板のことだと思いますよ」

「辞書引いてみろよ。鉄板レースというだろうが」

「鉄板は鉄で堅い、手堅い、っていう意味から来ているんですかね」緑川が言う。

「だろうな」

「いえ、僕もそういう使い方については知っています。ただ、鉄板を用意しろ、と言われたらふつう、鉄板を」松田は被告人にでもなったかのような思いで、必死に主張した。

「それはない」その場の数人が呆《あき》れる口ぶりで、大きくかぶりを振った。

「ただ、まあ、ケアレスミスや思い込みはゼロにはできないからな。松田が疑問に思わなかったのだから、仕方がない。できるだけそれを防ぐ方法を考えよう。チェックは複数人でやるようにしないとな」

「もともと複数チェックにはなっているんですが」松田は頭を掻《か》きながら、「去年はちょっとバタバタしていて、ミスってしまいました」と頭《こうべ》を垂れる。

本部長はうなずき、「ミスは誰にでもある」と鷹揚《おうよう》に言った。

「みんな、大変だと思いますが、おのおの仕事に誇りを持って、頑張りましょう」

会議は最終的に、本部長補佐の井上百合香《いのうえゆりか》の言葉でおしまいを迎えた。席を立ち、みなで社訓を発声し、ばらばらに会議室を出ていく。

松田の仕事場のあるフロアは、緑川と同じ南棟にあるため、ともに並んで通路を進むことになった。この通路が永遠に続けばいいのに、と松田はこっそりと思わずにいられない。

「今年のクリスマスはゆっくりできればいいね」緑川が言ってくる。

話しかけてもらえるだけで松田は胸に日が差すような、浮き立つ思いを感じる。松田にとって、尊敬に値する先輩社員だからだ。年は一つ上というだけだったが、緑川は常に自然体、力んだところのない女性で、将来は会社の中枢《ちゅうすう》を担《にな》うと期待されている。社員のほとんどが別の業種を経験した上で入社を許されている中、新卒からその能力が認められて採用された数少ない生え抜き社員であることからも、会社からの評価が高いことは分かる。

松田はこっそりと恋愛感情を抱いているが、それが成就《じょうじゅ》するとも思えないのも事実だった。

「ゆっくりできるように祈ってはいますけど、たぶん、やっぱり呼び出されそうですね。どうせ気が気じゃないので、出勤して、会社で待機しておこうかと」松田は答える。

「どこのエリアリーダーも同じだね」

「緑川さんも？」

「何かトラブルが起きた時にすぐに対応できるように、って出社していると、意外に何事もないんだよね。大丈夫だろう、と信じて休んでると電話がかかってくるし。ジンクスみたいなことになっちゃって、いつも出社することに」

そうですね、と答えた松田は、そもそもトラブルとなるミスを犯すのは担当者ではなく、たいがい自分なのだ、と思うが口には出せない。かわりに、「子供の頃、野球中継をテレビで観《み》ると、敗《ま》けていたんで、僕が観戦していると敗けちゃう、と思っていたんですけど、それと似ていますかね」と言った。

「贔屓《ひいき》の野球チームがあったの？」

「ええ。弱かったんで、僕が観ていない時も敗けてましたけど」

緑川が笑ったことで、松田も嬉《うれ》しくなる。

通路の左側、大きな自動ドアが開くと、「ちょっとごめんよ」と大きな段ボールの山が現われた。実際には、段ボールはあくまでも台車に乗せられており、喋《しゃべ》ったのはその台車を押す野村《のむら》だった。五十過ぎのベテランで、整備部の部長をしている。部下は多く、現場仕事はもうやらなくても良いポジションにいるにもかかわらず、野村は現場作業をやめようとしていない。この段ボールの運搬にしても、本来は末端の新人がやるべき作業に違いなかった。「あ、緑川ちゃん。松田選手も」と呼び掛けてくる。

「野村さん、それすごい荷物ですね」

「まあな。依頼していた整備用品がやっと届いた。総務に頼んだのは二ヶ月前だぜ。どうしてこんなに時間がかかるのか。クリスマスのプレゼントでサンタに頼んだほうが、早く着くんじゃねえかと思ったくらいだ」

「サンタクロースは、大人のところには来ないですよ」緑川がからかうように言う。

「少年の心を持っていてもか」野村は背こそ高くないが、肩幅が広く、腕は筋肉でかなり太かった。丸顔で、いつも柔和な表情をしている。

「少年の心、とか言ってる段階で少年じゃないですよ」松田も言い返すと、野村がわざとらしくため息を吐《つ》いた。「松田、そんなこと言ってると、おまえのエリア、ろくなメンバーを回さないぞ」

「勘弁してくださいよ。去年みたいに風が強い時に、しっかりしたのがいないと、パニックになるんですから」

「困った時は、GPS使えるだろ、ナビ」

「ナビでは限界がありますよ」

「まあな」と答えた野村は誇らしげで、鼻の穴を少し膨らませた。そして台車を押して、通路を南方向へと進んでいく。

「わたし、野村さん見てると、父親を思い出すんですよ」

「似ているんですか？」

「子供の頃に死んだので、うっすらとしたイメージしかないんだけど」

ああ、と松田は返事に困る。こういった時、適切な返事をしようと慌てた結果、失言した経験はたくさんあった。今では、言葉が浮かばぬ時は、ただ黙っているべきだ、と分かるようにもなった。「それはそれは」と曖昧《あいまい》この上ない日本語を呟《つぶや》き、黙ったのだが、するとその黙った瞬間を狙《ねら》ったかのように、松田の腹がぐうぐうと鳴る。明らかに、適切とは思い難い相槌《あいづち》だったが、緑川は笑い、松田の腹のあたりを見てきた。

「松田君、面白いね」

「これは別に面白さというよりも、人間だれしも持っている機能の一つですよ」慌てて、松田は腹を押さえる。「空腹の時に、脳の指令で胃が活発に動くので、その時の空気が」と言いかけ、必死に説明するのも失礼かと感じ、やめた。

「うちの父、野村さんみたいな体格だったんだよね。背は高くないけど、体はがっしりしていて。学生時代は、運動部のキャプテンで」

「何のスポーツですか。僕の父親も若い頃は運動部の主将で」

「あ、本当に?　松田君のお父さん、引っ越し業をやっていたんじゃなかったっけ」

右側の自動ドアが開き、中から湯気を体から発散させるようにし、汗をたくさん流した長身の男が出てきた。黒のジャージ姿で、ところどころに黄色のラインが入っているデザインが洒落《しゃれ》ている。

トレーニング室だ。中には、ランニングマシーンや筋力トレーニング用の器具がずらっと並び、スカッシュのコートや卓球台もある。ジャージを着た社員たちがたくさん、中で運動をしていた。

出てきたジャージの社員、爽《さわ》やかなスポーツ選手にしか見えない御子柴《みこしば》は四十代前半であるのに、松田よりもずっと若く見える。

「精が出ますね、御子柴さん」緑川が声をかけた。

ミネラルウォーターを口にしていた御子柴が、目尻《めじり》に皺《しわ》を作った。「俺たちがちゃんとやらないと台無しになっちゃうからな。君たちが一生懸命準備してくれてるのに。何と言っても体力勝負だから、うちの部署は。みんな、必死だよ」

「まあ、それはそうですよね。すべては御子柴さんたちにかかってますから」緑川がわざとらしくプレッシャーをかけるため、御子柴も苦々しそうに顔をしかめた。かと思えば、「あ、松田、そういえばさ」と急に声を上げた。「今からリストに追加できるかな」

「御子柴さん、うちのエリアでしたっけ」

「そうだよ、何言ってんだよ、今年、兼子《かねこ》と交代になっただろ。で、一軒追加してほしいんだ」

「今月以降分ですか？」先月末まででリストはいったん確定はされている。が、もちろん、随時、修正は可能だ。むしろ網羅率のことを考えれば、ぎりぎりまでリストの更新は行わなくてはならない。

「そうなんだ。俺の知り合いから聞いたんだよ。そいつは病院で働いている奴《やつ》なんだが、深夜に酔っぱらい運転で三十代の男が事故を起こして、運び込まれたらしい」

「亡くなったんですか？」

「ああ」

他人の酔っぱらい運転に巻き込まれて死亡したケースに比べれば、まだいい、とも言えるが、やり切れない出来事であるのに変わりはない。御子柴の口ぶりからすれば、その男には子供がいるのだろう。

「それとなく聞いてみたら、その子の家は」

「うちのエリアなんですね」松田はうなずく。「調査担当者を派遣します」

「頼むよ」御子柴が綺麗《きれい》な歯並びを見せると、また、トレーニング室に戻っていった。自動ドアが開き、音もなく閉じる。

「そういえば、緑川さん、あれって本当なんですか？」再び通路を進みはじめ、しばらくして松田は訊ねた。

「あれ、って何」

「アンカーとして採用される人の条件の一つに、苗字《みょうじ》に『子』がついていること、というのは」誰から聞いたのかは忘れたが、そう知って、改めて、ドライバーの名簿を見れば日本支部にいるのは、御子柴、金子《かねこ》、安孫子《あびこ》、増子《ますこ》といった名前の面々だった。

「験担《げんかつ》ぎなのか科学的根拠があるのかは分からないけれど、でも、どうやらそういうことになっているみたいね、昔から」

「サンタは子供のためのものだから、ですか」

「たぶんね。子供たちからすれば、うちのドライバー、アンカー部こそがサンタクロース」

「僕たち裏方もサンタクロースの一部なのに」松田はいじけているわけではなかったが、どこか僻《ひが》むような言い方をしてしまった。

「縁の下の力持ちって恰好《かっこう》いいじゃないの」

◇

サンタクロースなる人物は存在しない。が、仕組みは存在する。いつから運用されているのかは、社員のほとんどが知らない。社史のようなものがあるわけでもなく、社員にそういった解説もない。そもそもが、これが一般に言うところの、「会社」とは異なっているのも事実だ。どちらかといえば、巨大な非営利団体、長大な歴史と数え切れぬほどの実績を持つＮＧＯのようなものだろうか。とはいえ、そこで働くメンバーには賃金が支払われている。

人材募集のチラシがあるわけではなく、ハローワークで斡旋《あっせん》されることも、新卒社員の採用試験もない。

働くに相応《ふさわ》しい、と判断された人物のもとに、人事部の人間がある時突然に接触してくるのだ。渋谷の街で立つ美男子が、「君、芸能界に興味はないか」と呼び掛けられるのと似ているが、違う点もある。美男子であれば、おそらくこう思うだろう。

「なるほど、俺の外見はモデルや役者の仕事に向いているのだな」

が、この会社の場合は違う。なぜ自分が選ばれたのか、ほとんど分からない。

社内にはいくつかの部署がある。

松田や緑川がいるのは、プレゼントを選び、届け先の情報を管理する部署だ。エリアごとに分かれており、二人はそれぞれのエリアの責任者となっている。希望されたプレゼントの手配を玩具《がんぐ》メーカーと交渉する部署もあれば、当日の天候を分析する部署もある。野村は、トナカイのコンディション管理、躾《しつけ》を行い、チーム構成を組み立てる部署のベテランであるし、御子柴はトナカイの引く橇《そり》を操縦するドライバーであり、配達者、「アンカー」の部署に属している。さらに、当日は上空に高速でマシンを走らせるため、航空会社の管制塔の情報に気を配らねばならず、領空侵犯と誤解されないために、政府との連絡も密に取らねばならない。つまり、管制塔の役割を果たす部署もある。配達先の地図情報、ナビゲーションの専門家、建物のセキュリティ情報を収集、分析する専門家もいる。

何より重要なのは人事部だ、とも言える。この会社に相応しい人物を見つけ出すことこそが、肝心要《かんじんかなめ》の部分だからだ。真面目《まじめ》であること、規範意識が高いこと、そして何より、秘密を守れること。どうやって該当する人物を探し出すのか、その観点と手法は、有名ラーメン店のスープ原料同様、秘中の秘だ。

とにかくこの会社の社員は一年に一度、クリスマスの朝までに子供たちの枕元にプレゼントが無事に置かれるように、そのためだけに日々、働いている。

「サンタクロースなどいるわけがない。なぜなら、私は親からおもちゃを買ってもらっていた！」

そう主張する人は多い。社員として採用された際のほとんどの人間もそうだった。

「両親が枕元にプレゼントを置いているのを見た！」

という証言もある。

それは決して間違っていない。基本的に、クリスマスのプレゼントは、両親や祖父母、親戚《しんせき》、そういった縁のある人間が、子供にあげるものなのだ。

多くの子供にとって、サンタクロースは存在せず、この会社とも縁がない。

が、世の中にはプレゼントをもらうことのできない子供がいる事実も厳然としてある。近親者がいない場合はもちろん、子供に無関心の親もいれば、虐待《ぎゃくたい》同然、ひどいことばかりをする親も世の中には存在する。さらにクリスマスを前に、突発的な出来事が起き、それはたとえば、親が交通事故に遭ったり、もしくは日常生活をひっくり返すような災害に巻き込まれたり、何らかの大事件のために、クリスマスどころではなくなってしまうケースもある。

サンタクロースのシステムは、そういった子供たちのために存在している。

だからこそ、該当する子供をピックアップする作業は重要で、調査部の担当者たちはいつだってエリアを飛び回っている。情報はリスト化されるが、実際に、「サンタクロースを必要としている子供」をどれほどカバーできたのか、その網羅率が重要視される。

サンタクロースは子供を見離してはいけない！

働く者誰もがそう思っている。

◇

段ボールを倉庫に運び入れた野村が、厩舎《きゆうしや》に戻ってくると、二重瞼《ふたえまぶた》のくっきりとした目の新入社員、とはいえ二十代後半なのだが、中森遊馬《なかもりゆうま》が小走りでやってきた。ツナギの作業服を着ている。

「野村さん、あの、Kが少し元気がないんですよ」

「K？　何番のKだ」社内で管理しているトナカイたちは、それぞれの性格や橇を引く際の相性などをもとに、チーム分けされている。

中森は手元のタブレットを操作し、「十五です。チーム十五のKが、ここ数日、食事に手をつけなくて」

「十五のKか」野村は作業服のファスナーを上げる。「それなら大丈夫だ。あいつはいつも、十二月に入ったころから自分で調整をはじめるんだ」

「調整って、体重ですか？　それなら、こっちが計算した目標体重をずいぶん下回っているので」

「Kの場合は、自分なりの尺度を持ってるみたいなんだよな。実際、そう言ったわけじゃねえけど、たぶん、飛ぶ時の感覚だとか、風をやり過ごす時に影響があるのかもしれん。とにかく、勝手に、食事を減らす。しかも、毎年、その体重は変わるから、何かあいつなりに目安があるんじゃないかと想像しているんだが」

「野村さんは、彼らと喋れるっていう噂《うわさ》ですけど」

「中森、さすがに俺も、トナカイと喋るのは無理だよ。ただ」

「ただ、何ですか」

「うちのかみさんよりは、意思疎通《そつう》が図れているような気がしてならない」野村は本気でそう言ったものの、中森は冗談だと受け取ったようだった。

屋内練習場へと続くドアを開き、中に入る。大きな体育館の中に、地面を敷き詰めたかのような、もしくは、草原に屋根と壁をつくり、小型ドームに押し込んだかのような、特別な施設だった。

陸上トラックに似た、走行レーンがいくつもあり、トナカイたちが行き来している。何頭かは軽やかに、足の動きを確かめるように歩いているが、中央の茶色の土が目立つ場所では、本格的に走り込んでいるトナカイの集団もいる。

足音が響くわけでもなく、静かなものだった。

奥のレーンを走るトナカイの何頭かは実際に橇を引きながら、高台に跳び移る練習をしている。

野村はチームごとの担当者、トナカイのデータを覗き込んでいる者たちに順番に近づき、それぞれの状態を確認する。病気であるとか怪我《けが》を負ったであるとか、そういった報告はゼロだったが、毎年、クリスマス当日が近づいてくると、一週間前あたりに怪我するトナカイが現われるものだから、まだ、気は抜けない。

「野村さん、Jは大丈夫ですか。五のJ」

いつの間にか隣に、長身の男が立っている。短髪で彫りの深い顔立ちをした、御子柴だ。

「ドライバーがこんなところまでどうしたんだ」野村は相手を見上げる。

「そりゃ、気になりますよ。当日は、彼らにかかっているんですから」

「まあな。でもそのために、うちがちゃんと状態管理をしてるんだ。栄養満点な食事に、適切なトレーニングメニュー、万全だ」

「だけど、Jが少し不調だって聞きましたよ」

「噂ってのは怖いな」野村は冗談めかしつつ、本心から溜め息を吐く。「もともとあいつは、方向音痴でな。空に出た瞬間、どっちが地面かも忘れちゃうような」

「それって、まずいですよね」

「一人で飛ぶならな。いつもはMかNが一緒だから困らない。Jはまあ、方向音痴を除けば、脚力と向かい風の処理が抜群だからな、補欠にするにはもったいない。ただ、最近、一人で飛んで、向きを間違えて天井に激突したんだ。ちょうどドライバーが見学に来ていたからな、びびっちまったんだろ。というか、御子柴、何で笑ってんだよ」

「いや、トナカイのこと、一人二人って数えるんだな、と思って」

野村は、はん、と鼻から息を吐き出す。「そのほうが言いやすいだけだ。おまえたちだって、グラディウスやらゼビウスをやる時、ゲーム内の戦闘機の残機のことを一匹、二匹と数えたもんだろ？」

「やったことないですよ」

野村は腕を組み、おのおのの場所でトレーニングに励むトナカイたちをじっと眺めている。専用のゴーグルをつければ、各トナカイのＩＤが表示されるが、野村は毛の色や体の大きさでほとんど、個体識別ができる。

「あれ、何のトレーニングなんですか？」御子柴は左方向を指差した。五頭×二頭の隊列を作ったトナカイが、つまりそれは本番に近いフォーメーションであるのだが、ゆっくりと橇を引いている。走るのではなく、足並みを揃《そろ》えて、スローモーションの動きを再現するかのように、だ。

「橇の上に、薄い皿が載ってる。皿には水が入っている」

「まさか、それをこぼさないように？」

「慎重に、丁寧に運搬する訓練だよ」

「野村さん、でも、おもちゃは全部梱包《こんぽう》されてるじゃないですか」

「ずいぶん昔、近畿《きんき》地方を飛んでいたチームがバランスを崩して、小学校の校庭に緊急着陸したんだ。装備を全部、確認した後で再度、出発しようとした時、乱暴に走ったせいか橇が揺れて、おもちゃが壊れたことがある。もちろんいつだって、破損はつきものだけどな、その時はトナカイもアンカーも気づかなかったもんだから、子供のもとには動かないラジコンカーが届いたってわけだ」

「毎年、何かしら配達事故は起きます」

「まあな。ただ、あの訓練をやるようになって、破損事故がずいぶん減ったんだぜ」

「因果関係はよく分からないですよ。あのトレーニングのおかげで、破損が減ったのかどうか」と御子柴が言うため、野村はちらと眼だけで窺《うかが》う。批判や議論を吹っかけたいのかと思えば、そのような色はまるでなく、トナカイたちの動きを眩《まぶ》しそうに眺めているだけだ。

「野村さん、あれって全部、ペアリーカリブーって種類なんですか？」

「まあな。トナカイの中でも特に飛ぶのが、ペアリーカリブー種だ。ただ、全部が飛ぶわけじゃない。一割ってところだな」

「赤鼻は？」

「飛ぶ中でも二パーセントくらいだな」トナカイの中でもとりわけ、方向感覚に優れ、さらにまわりの光が弱くなると体毛が発光する性質のものがいる。昔話にちなみ、その特殊体質のものを、「赤鼻」と呼んでいるが、各チームに少なくとも一頭は、「赤鼻」が入るように構成されている。

「そういや、御子柴、今年は、松田リーダーのエリアなんだろ」野村は、「リーダー」という役職名を、からかいまじりに強く発音した。

「ですね。若くて真面目な松田リーダーです」御子柴もまた、からかうような口ぶりだった。「でも野村さん、本当に不思議ですよね」

「何が」

「俺は、松田が嫌いじゃないし、いい奴だと思ってますけど、ただ、うっかりミスが多いほうですよね」

「多いほう、というか、めちゃくちゃ多いよな」野村は言わずにいられない。松田は失敗が多い。子供たちの希望するプレゼントリストをチェックすれば、しなくてもいい修正を行い、結果、品物を間違える。会議の時間を間違え、南棟に集まれと言われれば北棟入口で一人で待っている。「去年は」

「鉄板ですし」

小学生男子の希望するプレゼントが直前まで把握できず、松田は物品管理部に出向き、担当者に相談をした。担当者は即答した。「男の子なら今年は、鉄板がありますから」

「鉄板ですし」

あるキャラクターのペン型トランシーバーが大人気で、入荷されてはすぐに売り切れとなるほどの社会現象を起こしていたため、それならばほぼ間違いない、という意味合いで、「鉄板」なる表現を使ったわけだが、松田はそれを言葉通りに素直に受け取り、つまり、「鉄の板」がプレゼントであるのだ、と解釈した。その失敗はあっという間に社内中に広まり、松田はこの一年、ことあるたびにそのことでからかわれ、それ自体が場を和ませる話題の鉄板ネタと化した。

「ただ、そのリストをもとに、物品管理部は各メーカーに発注するんだから、その時点で誰かが気づいても良さそうなものですよね」御子柴が言う。

「まあな」野村は笑いながら、鼻の頭を掻く。「で、不思議ってのは何のことだ。松田があんなにケアレスミスを起こすことか？」

「いえ、そうではないんですが。これは別に松田を貶《けな》したいわけじゃないので、誤解されたくないんですが」

「分かってる。松田を嫌いな奴なんていない」

「ようちの会社が採用したな、と思って」

野村は、「ああ」とうなずく。「うちの人事はすごいからな」

「ですよね。知り合いの社長が言っていたんですよ。仕組みはどうにか作れる。問題はそこで働く人材だ、と。ろくでもない人間が一人いれば、それだけで会社は傾く。それは一理あると思うんですよ。ましてや、この仕事なんて、子供の夢がかかってますから、ちょっとした失敗で、全部が台無しになる可能性がありますよね」

うんうん、と野村は腕を組み、うなずく。「その通りだ。おまえだって、まさか自分にここのドライバーの仕事が向いているとは思っていなかっただろ」

「前職は、役所のリサイクル推進課ですからね」

「だろ。だけど、ここの人事の人間は、おまえには向いてると判断した。やってみれば、一切、適任だったわけだ。何かアルゴリズムというか、人事についてのノウハウがあるんだろうな」

「怖いですね。探偵に調査でも頼んでいたりして」御子柴は言葉の割には、あっけらかんとしている。ここの組織が怖くないことはよく知っているからだろう。

「松田の場合もな、何か見込まれてるんだろ。あいつはミスが多い。わざとではなくな。本当に、ケアレスミスの呪《のろ》いでもかかってるんじゃねえか、ってうちの部署の奴らもみんな言ってる」

「ええ。俺も、松田は嫌いじゃないんですが、去年も一昨年《おととし》も品物の発注ミスがあったと聞くと、今年も何かあるんじゃないか、って不安にはなります」

「まあ、だろうなあ。けれどあんまり心配することはねえよ」

「どういうことですか」

「たぶん、松田はそういう星のもとに生まれてるんだよ」

「星占いみたいなものですか？」御子柴は冗談口調で返事をした。

するとちょうどそこで、奥のレーンで走っていたトナカイたちが音もなく、離陸し、宙を駆けるように空気を蹴《け》り、飛んだ。屋内の天井ぎりぎりのところを移動し、緩やかにカーブを描きながら、御子柴と野村の頭上を移動していく。

美しいその軌道に見惚《みと》れるように、二人はしばらく眺めている。

◇

トナカイたちは快調だった。はじめのうちは空は晴れ晴れとしており、黒というよりも紺、かち色のようでもあり、星の小さな煌《きら》めきがぽつぽつと確認でき、数えることもできるほどだったが、いつの間にか雲がかかりはじめ、白いぼやけを作り、かと思えば、地面に粉をふりかけるかの如《ごと》く、雪を降らしはじめた。

もちろん、天候シミュレーションは事前に行われており、U字ハンドルを握る御子柴は特に焦《あせ》りは感じなかった。むしろトナカイたちは雪が降れば降るほど、風向きをつかむのが容易になるからか、活《い》き活《い》きとしはじめる。顔にくっつく雪の欠片《かけら》たちを舌で舐《な》めながら、空を飛ぶ。

不調を心配されたJも、野村の言葉に偽りはなく、当日が近づくに連れ、毛の艶《つや》が良くなり、動きにキレも出るようになった。

今も、橇を引く二列の先頭で、きびきびと体勢を変え、隊列を引っ張っていく。

次に向かうべき家はもうすぐだった。

どういった経路で、どの家を巡るのかはすでに頭に入っている。御子柴に限らず、アンカーの仕事はほとんどがそれだ、と言っても過言ではない。どの子供に、どのプレゼントを置くのか、さらにいえば、どのように置くのか、それを記憶し、誤りのないようにやり遂げる。時に、想定外のことが起きた場合には、臨機応変に対応する。

トナカイたちが頭を下げ、脚を動かすのを止《や》め、すると橇が下降をはじめる。そろそろ、次の配達先となるのだろう。風が御子柴を押してくるが、羽織っているポンチョのおかげで、さほど圧迫感はない。耐水性、耐風性に優れている。さらに、周囲の光景を反射するため、ポンチョを着ていればほとんど人間の眼には映らない。子供のもとにプレゼントを置く際、サンタクロースの姿をわざと見せる場合もある。そうしたほうが、子供が喜び、大袈裟《おおげさ》に言えば勇気づけることができるケースだ。それ以外は、基本的にポンチョを着て、姿を消す。

緩やかな螺旋《らせん》を描きながら、高度が落ちていく。

次に行くのは、一戸建てのはずだった。四十年前に開発された住宅地の一画で、六割近くが高齢者となっている町だ。残りの四割のうち半分は空き家のようで、着陸地点はその空き家のうちの一軒を借りた。トナカイたちが力を抜くと同時に、御子柴はハンドルを引く。ブレーキがかかり、庭に着地した。トナカイたちはすぐに身を寄せ合い、丸くなる。

御子柴は座席から立ち上がると、橇の後部トランクとも呼べる大型ボックスを開き、中からラッピングされた箱を一つ取り出した。

「じゃあ、行ってくるよ」と声をかけると、AとEがこちらを向き、こくっとうなずく。言葉が通じるようにしか思えぬが、科学的には実証されていないらしいから、これもまた偶然なのだろうか。御子柴はそう思いながら、心許《こころもと》ない灯りをつけた街路灯が並ぶ、住宅地の道路に出た。

少し歩けば目的の家に辿《たど》り着く。顔に装着したゴーグルに触れる。現在位置の座標と住所が小さく表示された。もう一度、ゴーグルの端をタップする。目の前にある家屋の輪郭がハイライト表示となり、目的の家と一致したことを知らせる点滅表示があった。

子供部屋は二階の南東だ。

御子柴は特に躊躇《ちゅうちょ》することなく、家の敷地に入り、庭を横切り、家の壁に近づく。手を壁に当てると吸い付く感覚がある。グローブが壁と密着することで、中の空気が抜けるのだ。

蜘蛛男《くもおとこ》よろしく、そのまま二階へ辿り着く。窓にはカーテンがかかっており、中は覗けない。

窓が施錠《せじょう》されていなければ簡単ではあるのだが、片手を離し、窓に手をかけても開かない。そう楽はできない。

右手のグローブを振ると人差し指から突起が出る。窓硝子《まどガラス》の端をなぞるように上に向かって動かす。三日月型、クレセント錠が動き、外れた。そっと窓を開け、体を捻《ひね》ると中に入る。こういった動きを音を立てずにやるために、トレーニングを積んでいるようなものであったから、御子柴は難なくこなす。

部屋に電気はついていなかったが、暗視機能を装備したゴーグル越しには問題がない。プレゼントの箱を、布団《ふとん》で眠る少年の枕元に置いた。

いったい何が入っているのかは、御子柴たちは特に関知していない。もちろん、秘密にされているわけではなく、ゴーグルでリストを呼び出せばすぐに分かるが、基本的には箱のIDに誤りがないかと意識するだけだ。

少年は枕もなく、横になっている。どんな夢を見ているのか。

御子柴は入社して八年になるが、やはり、配達をし、子供の寝顔を見るたびに胸を締め付けられる。

親や身近な人間からクリスマスプレゼントを贈ってもらえる子供は、サンタクロースのシステムからは除外されるのであるから、御子柴たちがプレゼントを置いていく先の子供たちは、幸福とは呼びがたい状況にいることが多かった。果たしてどういった家庭の事情を抱えているのか、家庭に事情はなくとも、どうしてプレゼントがもらえないのか。詳しくは御子柴も分からない。会社で調査はしているが、アンカーは詳細まで把握していないケースが大半だ。

下手に事情を知ってしまうと、同情からアンカーが予定外の行動を取る可能性もあるからだろう。知らぬが仏の精神で、淡々と仕事をこなさなくてはならない。どの子供も幸福になってほしいと願わずにはいられない。が、もちろん、なかなかそうはいかないことも御子柴は知っている。

そもそも、人の幸福とは何であるのか。

おまえは幸福なのか？

問われれば、御子柴は答えられない。子供がみな天使だとも思わない。が、限られた人生の時間を、なるべく怯《おび》えずに暮らせるような、その程度の平穏さは、どの子供にもまんべんなく振り撒《ま》いてほしい。

御子柴は腰を上げると、部屋から出る。まくれ上がったカーテンを挟まぬように気を配り、窓を閉める。ガラス越しに指を動かし、クレセント錠を締めると、家から離れた。

戻るとトナカイたちがすっくと体を起こし、すでに飛ぶ準備をしている。

ハンドルを握り、「よし」と念じるようにつぶやくとJが角で夜空を仰ぐようにし、直後、みなが地面を軽やかに蹴り、出航となる。

連絡があったのは気流に乗り、水平飛行に移行した頃だ。ゴーグルにメッセージ着信の合図が光ったため、応答し、受信する。耳にワイヤレスのイアフォンを押し込む。

「あ、御子柴さん、すみません」松田の声が聞こえた。

「どうした」

「申し訳ないです。実は、間違えてしまって」

青褪《あおざ》めている松田の顔が目に浮かぶ。「どうした」

「プレゼントを間違えてしまって」

「またか」御子柴は笑っている。

松田は必死に事情の説明を、早口でまくし立て、「僕の早とちりで」とほとんど半べそ状態で続けた。

「中身は何だ」

「プラスドライバーです」

御子柴は噴き出すのをこらえきれない。「子供がプラスドライバーをもらって、喜ぶと思うのか？」

「聞き間違えてしまって」あわあわと言い訳を続けようとしている。「どうしてチェックで引っかからなかったのか」

どの子供のプレゼントかと確認すれば、今、まさに寄ってきた一戸建てだった。

「プレゼント、取り替えられますかね」松田は言うが、御子柴は、「いや」とすぐに答えた。「時間は限られている。今はとりあえず、一通り回る。あとで、その子にはフォローするしかないな。去年も似たようなケースがあったんだろ」

「ええ、まあ」

「慣れてるじゃないか」

「そんな。僕だって」松田は見離された少年じみた声になった。

「悪いな。でもまあ、大丈夫だ」御子柴は言うと通信を切り、ハンドルを操作する。

トナカイたちが加速し、夜の風がどんどんと後ろに流れていく。

野村に聞かされた話を、御子柴は思い出している。トナカイたちの訓練を眺めている際、野村は、「松田はそういう星のもとに生まれてる」と言った。「松田が間違える時は、結果的にそのほうが良かった、ってパターンが多いんだ」

「どういうことですか」

「あいつがプレゼントを間違えたとするだろ」

「実際、間違えてますけど」

「だな。でもな、その時は意外に、間違えたほうが子供のためになったりするんだと」

「結果オーライですか」

「まさにな。あいつ自身は気づいちゃいない。ただ、会社は松田のそういうところを見込んでる可能性はある」

まさか、と御子柴は咄嗟《とっさ》に否定しそうになった。失敗が失敗とならず、むしろ成功に近くなるような性質など、人にあるとも思えず、さらに仮にあったとしても、それをどうやって判断できるというのか。半信半疑の表情で、眉《まゆ》をひそめる御子柴に、野村は笑う。

「さっきした、ラジコンが壊れちまった話があるだろ。トナカイたちが乱暴に走ったせいで」

「動かないラジコンが届いたんですよね」

「実はな、その子供ってのが松田なんだよ」

「え？」

「昔、松田が子供の頃に、あいつもまた、当時は親からクリスマスプレゼントがもらえない環境だったってわけなんだが、壊れたラジコンが届いたんだと。ただな、もし、そいつが壊れてなかったら、その日はラジコンを持って、近くの公園に出かけていた」

「それが、壊れていたもんだから公園には行かなかった」

「それがいったい」

「ガス爆発があったんだよ。公園の管理事務所でな。もし、松田が遊びに行っていたら、巻き込まれていた可能性が高い。ようするに、その頃からして松田は」

「結果オーライの申し子というわけですか」

「これはあくまでも噂だけどな、松田のミスに関しては、事前チェックで気づいたとしても、どの部署も見て見ぬふりをしているらしい」

御子柴は信じられず、野村に騙《だま》されていると思い、笑ったのだが、当の野村は冗談だと打ち明けることなく、彼自身も困惑した表情でいるものだから、噂とはいえかなり信憑性《しんぴょうせい》があるのか、と当惑した。

まさか、本当にミスするとはな。

御子柴は先ほどの一戸建ての方角を振り返ったが、トナカイが駆けていくため、すぐに前を向く。

◇

少年は朝、枕元《まくらもと》に置かれているプレゼント、その包装紙の匂《にお》いに気づき、目を覚ました。

起き上がるたびに、足首に巻かれた鎖が音を立てるがそれにも慣れつつある。鎖は押入れの柱に埋め込まれた金具に巻きつけられているのだ。

体を起こし、包装された箱を引き寄せる。クリスマスの朝だと、少年は気づいていなかった。母親が、彼を鎖で繋《つな》いだまま家を出てからずいぶん日が経《た》っている。押入れには、小便をするための簡易トイレが置かれていたが、そこで用を足す気力もなく、なぜなら食料がなく、朦朧《もうろう》としているからなのだがとにかく、このままずっと眠っているほかないと少年は覚悟を決めつつあった。

どうして母親に見捨てられたのかも分からず、そもそも見捨てられた事実もまだ受け入れられず、少年はただ、ぼんやりとし、空腹にすら慣れそうになっていた。

箱を開けたのはほとんど、無意識の、つまりほかにすることもない、といった理由からだったが、中から工具が、プラスドライバーが出てきたことには、いったいこれは何を意味するのか、とぽかんとしてしまった。

が、少しして膝《ひざ》を曲げた際、じゃらじゃらと鳴る鎖の端が視線の先に見え、足首につけられた枷《かせ》が目に入ると、手に持ったドライバーを近づける。ネジに当てると、きっちりはまった。少年はほとんど失いかけていた力を振り絞り、ドライバーを回転させていく。

◇

梨央は母親との電話を切った後で、警察に電話をかける。

「事件ですか事故ですか」

淡々と訊《たず》ねてくる警察の声に、「事件です」と上擦った声で答えた。そうしている間も息子の礼一は泣き続けている。スマートフォンを耳と肩の間に挟み、礼一を抱くとその場に立ち、必死にあやす。二歳ともなるとずいぶん重い。早く泣き止んで。泣き止んで。

インターフォンが鳴ったのはその時だ。心臓が跳ねる。「助けに来てください」悲鳴交じりにそう言うと同時に、スマートフォンを落としてしまう。

慌《あわ》てて拾うが耳に当てる余裕はない。礼一を抱えたまま、梨央は玄関に向かう。ドアが慌ただしく、引かれていた。鍵《かぎ》がかかっているが、そのあまりに乱暴な引っ張り方は、弱っている鍵をそのまま粉砕するほどの野蛮さに満ちている。

逃げ場がない。梨央は背後の窓の外を振り返るが三階から逃げ出せるとも思えない。何か武器はないか、そうだ包丁、と思い、台所に回り、引き出しを引っ張ると自分で思っていた以上に力が入ってしまったのか中身が飛び出してしまう。礼一を守るために後ろを向くと、今度は食器棚にぶつかる。礼一がますます泣くので、室内に嵐《あらし》が起きたかのように感じる。梨央も泣き出し、その場にうずくまりたかった。お母さん、と縋《すが》りたかったが自分がその、お母さん、でもあることに気づき、腹に力を込める。

玄関側で一際《ひときわ》大きな音がした。さすがに隣室の住人も騒ぎに気づくのではないか。

はっと見れば、玄関に男は立っていた。手には刃先の長い包丁を持っており、声を発することなく、ずかずかと中に踏み込んできた。

対話の通じる人間ではないことは判《わか》っていたが、背広姿で呼吸を荒らげている様子は、もはや、恐ろしい猛獣以外の何物でもなく、梨央はむしろ覚悟が決まった。どのような手段を使っても、相手から逃げなければならない。

礼一を抱え、台所から出る。男が土足のまま廊下をやってくるため、いったん、リビングのドアを閉める。ソファを移動させ、ドアを塞《ふさ》ごうとしたが、礼一を抱えながらでは力が入らなかった。

激しい音が鳴ったと思うと、ドアがこちらに弾《はじ》かれるように、開いた。咄嗟に梨央は壁に背中を当て、身を隠す恰好になった。礼一は泣き止む気配がない。

男が室内に刃物を向け、視線を動かすのとほぼ同時に、梨央は男の横からドアに駆け込んだ。玄関に出る。後ろから、男が追ってくるのが分かる。

マンションの三階通路に飛び出したところ、隣の部屋の前に人影があり、さすがにこの事態に起きてくれたのか、と申し訳なさよりも希望を覚える。自分以外の誰かがいれば、男にもブレーキがかかるのではないか、という期待だ。

が、そこにいたのは子供だった。パジャマ姿の小学生で、どうしてこの時間に通路に出ているのかと、梨央は目を疑う。抱えている礼一はいつの間にか泣かなくなっている。あちらこちらに動いたことがちょうど良い刺激となったのだろうか、眠っていた。

「あ」隣の部屋の子供は、梨央を見て、言う。父子家庭で、夜は彼一人で過ごしているという話を聞いたことがある。「サンタ、見た？」

「え」

「今、目を開けたら、出ていくのが見えたんだよ。窓から。だから追いかけようと思ったんだけど」少年は寝ぼけているのか、そのようなことを言う。

「サンタ？」梨央は言うと同時に、クリスマスイブであることを思い出す。

寒気を覚え、振り返ればそこに、獣としか思えぬ気配で、男が立っている。手に持った刃物があまりに長く、現実味を感じられないほどだ。

「危ないから」梨央は、目の前で包装紙を破っている少年に言った。箱をその場で開けている。行儀が悪いとたしなめる余裕などなく、こうなったら自分が盾になって、礼一と少年を守らねばならぬのか、と梨央は考えはじめた。

「え、何これ」少年が箱の中から、やけに大きな鉄板を取り出したのはその時だった。

「これ、ただの鉄の板だよ！」

少年がこちらにそれを向けた時、梨央は礼一をそっとその場に置いていた。考えるより先に、両手で鉄の板をつかみとると、すぐに後ろに向き直った。

男がぶつかってきていた。が、男の刃物は鉄板に激突したらしく、音を立て、弾き飛ばされた。梨央は無我夢中で、体勢を崩した男が目を白黒させているうちに、鉄板を振り上げ、後先考えずにそれを頭に振り下ろした。男はその場に倒れる。

息があることを確認した梨央はその場にしゃがみ、肩で息をした。少年にお礼を述べる。「きっとサンタさん、間違えちゃったんだね」サンタの馬鹿《ばか》！　少年は不服そうに言うが、「わたしが今度、おもちゃ買ってあげるから」と梨央が言うと、現金なもので、「うん」と笑い、その後で、「パパに聞いてから」と続けた。

いったい何が起きたのか、依然として梨央の頭は混乱したままだった。母に連絡するために電話を取り出すが、視線を後ろの少年にやりながら、サンタクロースが本当にいたのだろうか、と考える。もちろん、すぐに否定する。サンタクロース一人が世界中の子供たちにプレゼントを配るだなんて、現実的に考えて、可能とは思えない。

彗星さんたち

☆

新幹線E5系の薄い緑色の車体がこちらに向かってくる。

ホームの端に立ち、真正面から眺めると、新幹線の顔は、ぽっちゃりとした緑のペンギンのようだ。新幹線を迎え入れるために手を前で組み、お辞儀をする。わたしだけではない。同じチームのスタッフはみな、だ。ホームの各車両が停車する場所にそれぞれ担当者が立ち、新幹線を迎え入れる。等間隔に並び、礼をする。礼ではじまり礼で終わる。それがわたしは好きだ。

「お母さんは、一日に多くて二十回近く新幹線に乗ります。なのに、東京駅から一歩も動きません。なぜでしょう」

小学三年生になる娘の里央《りお》が前に言った。叔父の葬儀で親戚《しんせき》が集まった際だ。

「なぜなら、新幹線の車内を掃除する仕事をしているから」

停車した新幹線に乗り込み、車内清掃をし、新幹線が動く前に降りる。わたしの仕事はそれだった。

里央の発した答えを聞くと、みな、「あらあ」と笑った。近くにいた母だけが顔を引き攣《つ》らせていた。彼女からすると、「掃除の仕事」は好ましくない職業なのかもしれない。

母は別段、見栄《みえ》を張る性格ではなかった。エリート志向でもなく、ただ、わたしも姉も子供の頃から勉強はできたものだから、期待があったのは間違いない。それが真の幸福に結びつくのかどうかはさておき、「いい大学」に入り、「いい企業」に勤め、「いい男性」と結婚するのだと想像していたのではないか。蓋《ふた》を開けてみればわたしは、三十歳で離婚歴を持ち、小学三年生の娘と暮らしているのだから、母は落胆したに違いない。

二年前、「新幹線清掃の仕事をする」と話した時も、「何もそんな」と溜《た》め息を吐《つ》いた。わたしはむっとしたが、言い返すことはできなかった。子供の頃から、母や姉とは違い、自分の感情を言葉にすることが苦手だった。喋《しゃべ》ろうとすると言葉に詰まり、うまく喋れぬことで相手が苛立《いらだ》つのが分かると、余計に喋れなくなる。相手に伝えたい感情は表に出さぬほうがマシだと思っていた。曖昧《あいまい》な相槌《あいづち》でお茶を濁すことが多く、時に、意見を言おうとするとなぜか、まったく思ってもいないことが口から飛び出したりするから不思議なものだ。「考え」を言語化する回路がおかしいのではないか、と心配だった時期もある。

離婚した夫からの養育費だけでは生活もままならず、仕事をしようと考えた際、新幹線清掃の仕事を選んだのも、「これならば、喋らなくていいのではないか」と思ったからだった。「掃除だけをしていればいい」と。

「掃除をするだけでいいんでしょ、と思っていたら勤まらないからね」パート研修の際、わたしの考えを見透かしたかのように、主任の鶴田《つるた》さんに言われた。五十代後半の鶴田さんは中肉中背で、ぱっと見た感じではのんびりとした女性なのだが、背筋が伸び、あまり笑わないせいか、厳しい指導官のようだ。子供の頃に書道を教えてくれた先生を思い出した。

実際、新幹線清掃の仕事は、掃除をするだけではなかった。谷部《やべ》専務の言葉によればそれは、「おもてなし」であり、「快適に新幹線を利用してもらうための、サービス業務」ということらしい。

「でもようするにやることは掃除だろ」と言った五十歳の男性がいた。わたしと同時期にパート採用され、一緒に研修を受けた六郎《ろくろう》さんだ。痔《じ》がひどくなりタクシー運転手を辞めてきたんだ、と自ら話す六郎さんは、俗に言う「デリカシーに欠ける人」で、何でも思ったことは口にするタイプであり、わたしとは反対だった。あれは最初の研修の後だ。六郎さんは、「別に、お辞儀するとかしないとか、掃除と関係ないんじゃないのかね」と面倒臭そうに言った。「あんたもそう思わないかい」と急にこちらを見たため、わたしは狼狽《うろた》えた。「いえ、あの」と口ごもるだけだ。

「挨拶《あいさつ》をしないでこそこそ車内に乗って、掃除して、またそっと出てくるなんて、何だか悪いことしてるみたいでしょ」鶴田さんは笑いもせず、言った。

「掃除なんてそんなものなんじゃないの？」

鶴田さんはかぶりを振った。「あのね、掃除っていうのは、人間の生活には必要不可欠なんだから。ほら、六郎さんは、綺麗《きれい》な新幹線と、汚い新幹線があったら、どっちに乗る？」

「まあ、そりゃ綺麗なほうだね」

「でしょ。みんなそのほうが気持ちいいし。それにね、物を綺麗にするのって大変なことなんだから。汚くするのは簡単。そのまま生きていればいいだけ。努力しなくても、汚くなるし、荒れていくわけ。綺麗な場所は、そこを誰かが綺麗にしたからなんだよ。だからって威張る必要はないけど、こそこそしないで、これから新幹線に乗る人たちに、『今、綺麗にしていますよ』って見てもらうのは大事なことだと思わない。手を抜いてはいませんよ、って分かってもらえるように」

「少しくらいの手抜きは必要だと思うけれど」

鶴田さんはそこで顔を引き締めた。「ねえ、こういう言葉知ってる？」

「どういう」

「『常にベストをつくせ。見る人は見ている』って」

急に飛び出してきた勇ましい言葉に、わたしはぎょっとせざるを得ないが、六郎さんも竹刀《しない》を突き付けられたかのように、びくっとなった。

「これね、パウエル国務長官の言葉」鶴田さんは少し顔の強張《こわば》りを緩めた。

アメリカのブッシュ大統領の任期中、よくテレビに映っていたパウエルさんのことは、わたしも知っていた。もちろん、面識があるとか、知己であるというのではなく、ただ、「顔をテレビで観《み》て、知っている」だけなのだが、そのパウエルさんの心得の本を、鶴田さんが愛読しているのは、後になって分かった。

「ベストをつくせ、見る人は見ている、と言われてもなあ」六郎さんは嘆いた。「誰が俺の頑張りを見てるんだよ」

「いつか誰かが見てくれるかもなんだから」鶴田さんは言った。「だから、お辞儀もちゃんとやろうよ。六郎さん」

二村《にむら》さん、慣れてきた？と鶴田さんが声をかけてきたのは、わたしが仕事をはじめて十日くらい経《た》った頃、ベビー休憩室で作業をしていた時だ。

「いえ、あの」とわたしはもじもじと答える。それなりに慣れてきましたが、まだまだです。内心ではそう答えられる。ただ、言葉には出せない。

「二村さん、娘さんいるんだよね？」と話題を向けられ、わたしは、娘を小学校に送り出した後で、自転車と電車を乗り継ぎ、東京駅のこの職場に駆け込んでくることを説明した。要領を得ない話にも鶴田さんは不快な顔を見せなかったのが、ありがたかった。話の流れで、離婚して一人で娘を育てていることも話した。

「大変だねえ、二村さんも」それが果たして、通勤のことを指しているのか、離婚のことを言っているのかは分からなかった。

「いえ、でも、それくらいのことはみんなやっていますし」謙遜《けんそん》ではない。保育園と職場を行ったり来たりし、仕事のストレスに耐えながら、満身創痍《そうい》で子育てをしている親は多いだろうし、何らかの事情で配偶者なしで生活している人もいるはずで、わたしは決して、特別に大変なわけではなかった。そのことを話すと鶴田さんは、「もっと大変な人がいるから、なんて思ったら駄目だよ。そんなこと言ったら、どんな人だって、『海外で飢餓で苦しむ人に比べたら、まだまだ』なんてなっちゃうんだから」とうなずく。

「そういうものですか」

「あ、でも、あれね、気をつけなくちゃいけないのは、『わたしが一番大変』って思っちゃうことね。『わたしだけが大変』とか」

「ああ、はい」それは分かるような気がした。「何番目くらいだといいんでしょうか」思わず、訊《たず》ねた。

鶴田さんは少し首を傾《かし》げてから、「千番目くらい？」と言った。表情は真面目《まじめ》で、冗談なのかどうかはっきりしない。とりあえず、「意外に上位ですね」とうなずいた。

「まあ、それくらいの気持ちでいいんじゃないの」

その後でわたしは、自分がこの仕事をうまくできるかどうか心配だ、と打ち明けた。人とコミュニケーションを取るのが苦手で、実は、ここの仕事も、「ただ、掃除をすればいい」と思っていたところもあるのだ、と。

「二村さん、この仕事って結局、一言で言うと、何だか分かる？」

一言？　掃除をする、って意味じゃなくて？　おもてなし？　と解答に悩む。

「ちゃんとする、ってことなんだよね」鶴田さんはやはり、習いものの先生に似ており、「書道の基本は、とめる、はねる、はらう、なんですよ」と言うかのように、言った。

「ちゃんと？」

「掃除するってこと自体が、ほら、ちゃんとするようなものでしょ。整理整頓《せいとん》ってこともあるし。新幹線が来る時にお辞儀をするのも、終わった後に、礼をするのも、みんな、ちゃんとする、ちゃんとやろう、ということだしね。決められた時間の中で、できることをちゃんとやる。そういう仕事なの。たぶん、二村さんは今まで、ちゃんとやってきた人のように見えるから」

「ああ、はい」ぼんやりと答えてしまったが、わたしは内心では、それなら、と思った。それならできるかも、と。他者に説明やアピール、言い訳をしなくても、ただ、やるべきことをちゃんとやればいい。わたしにはむしろ得意なことだ。

真面目に勉強をし、学生になって年上の恋人ができ、予定していたわけではなく妊娠してしまったが、妊娠したからには産んで育てることが、「ちゃんとしている」と思い、だからわたしは退学し、結婚し、子育てをはじめた。周りからは、「ちゃんとしていない」と思われることは想像できたが、そうすることしかできなかった。

さらに鶴田さんが、「二村さん、この仕事ね、一ヶ月で半分くらいの人は辞めちゃうの」と言った。「一年で二割くらい、残るのは。でもね、谷部さんとかがよく言うんだけれど、この会社を支えているのはその残った二割の人たちなんだって」

「あ、はい」

「二割しか残らないけれど、残った二割は頼りになるの」

「あ、はい」とわたしはまた、ぼんやりと答えたが、「頼りになる」という言葉に力強さを感じ、胸の奥で小さな光の粒が膨らむような感覚になっていた。その光の正体は見当がついた。「そういう人になりたい」という願いだ。

頼りになる人間になりたい、と思った。が、口から出たのは、「頼ってくれていいぞ、と言われたことはあるんですが」という、ずれた返事だった。

「誰に？」

「離婚した夫です」妊娠した際、年上の彼は、「頼りにしてくれていい。結婚しよう」と言った。嘘《うそ》をつくつもりも、その場しのぎをするつもりでもなく、おそらくその時の彼は、本心から言ったのだろう。ただ彼には、「凛々《りり》しく、男らしい対応」を好む傾向があった。そして、きりっとした決断をしたその瞬間は満足しても、その状態を継続することに喜びは見出《みいだ》せなかった。「結婚しよう」と発言することは凛々しいが、地味な大変さの続く、結婚生活と子育てには、凛々しさはない。

「いろいろあるわねえ。世界ランキング千位ともなると」鶴田さんはからかうでもなく、真顔で言った。

鶴田さんが倒れたのは昨晩だったらしい。朝、いつも通り、東京駅の事務所に出勤し、チーム別の作業指示表を受け取り、ミーティングとなった際、いつもであれば輪の中心にいるはずの鶴田さんの姿がなかった。

所長の垣崎《かきざき》さんがやってきて、「鶴田さん、昨日、倒れちゃったらしい」と言った。背筋が伸び、てきぱきと動く垣崎さんは、谷部専務の右腕とも言える存在で、スポーツチームを指揮するコーチのようでもある。「今日は、私もサポートするので」

「風邪ですか?」と訊ねたのは、鶴田さんよりも年上、六十歳の笹熊《ささくま》さんだ。苗字《みょうじ》に笹と熊の組み合わせがあるから、というわけではないだろうが、少し小太りで、いつもにこやかな丸顔はパンダのようで、書道の先生じみた鶴田さんとは反対の、朗らかでおしゃべり好きな女性だった。還暦を前にし、夫を亡《な》くしたのをきっかけにパートに出たという。「鶴ちゃん、昨日の帰りは元気そうだったけれど」

「詳しくは分からないんだが、脳溢血《のういつけつ》のようなものらしい。倒れてそのまま運び込まれた」垣崎さんが答える。

脳溢血という言葉は、重苦しい響きを伴っており、わたしはもちろん、他の全員も一瞬、言葉に詰まる。

「鶴田さんって、一人暮らしでしたよね」言ったのは、背の高い市川《いちかわ》君だ。わたしよりも年下の二十代で、色白でいつも背筋が曲がっている。入ってきたばかりの時は、ほとんど喋らず、常に人に背を向け、爪《つめ》を噛《か》んでいるような青年だったが、最近は、喋るようになってきた。自分の好きな話になると饒舌《じょうぜつ》になる性格なのもばれてきた。

「たまたま、ご近所の人が訪問していた時だったらしいんだ。だから、すぐに病院に運ばれたようだけれど」

「じゃあ、無事なのかい」六郎さんが訊ねる。はじめは文句が多く、仕事を楽することばかり考えていたものだから、わたしはてっきり、六郎さんはすぐに辞めるだろうと思っていたが、蓋を開ければ、「頼られる二割」に残っていた。わたしの人を見る目もその程度だ。

「まだ、意識不明らしい」垣崎さんはその時だけ、少し声の調子を落とした。

「え」四十代後半の、数ヶ月前からパートで働きはじめた三津子《みつこ》さんが口に手をやる。

「脳溢血」なる単語も重いが、「意識不明」も重く感じられる。しばらく、わたしたちはしんとなった。

「でも、とにかく」笹熊さんが自らに言い聞かせるように、うんうん、と首を縦に揺すりながら言った。「みんなで今日も、頑張りましょう」

☆

到着した新幹線が扉を開く。わたしはその二号車の降り口ホームに立ち、乗客が次々と降りてくるのを待つ。ビニール袋を広げ、ゴミを回収する。気付かずに通り過ぎる人もいれば、ペーパーカップを投げる人もいる。「どうもありがとう」と言い、雑誌を入れる人もいる。乱暴にゴミを捨てた人が、次の時には、優しく挨拶をしてくれることもある。さまざまな人がいて、さまざまな暮らしがあるし、それぞれの人にもさまざまな時期がある。

「おもてなしをする、という意味では、ディズニーリゾートのようなテーマパークも似ているけれど、そことうちの仕事とは、何が違うと思う？」以前、谷部専務が言っていた。

「ああ、分かったぞ」六郎さんは、クイズに答えるようだった。「あっちは乗り物がたくさんあるけれど、こっちは新幹線しかない」

「違う」谷部専務は手を振る。

「こっちは酔っ払いがいる」と手を挙げた三津子さんは、その数日前に車両清掃中に、酩酊《めいてい》した乗客に絡《から》まれて、大変な目に遭ったばかりだった。ほとんど抱きつく形で寄りかかってきたらしく、体を硬直させるほかなかったという。清掃のチェック、後検《あとけん》で通りかかった鶴田さんが気付き、慌《あわ》てて、引き剝《は》がした。

スタッフルームに帰ってきてから三津子さんは、「鶴田さんが落ち着いて、対処してくれたから助かりました」と感謝していた。鶴田さんは苦笑しながら、「わたしも昔、新幹線で痴漢に遭ったことがあるんだよね」と話した。

「あらら、鶴ちゃんにそんなことが」と笹熊さんが大袈裟《おおげさ》に驚いた。「その時、どうしたのよ」

「通路挟んで反対側の男の人が助けてくれたんだよね。ほら、カンフーみたいな感じで、あちょー、って」鶴田さんは真面目な顔で言う。

あちょー、はさすがに嘘ですよね、とわたしは思ったが口には出せない。かわりに、別のスタッフが、「あちょー、はさすがに嘘ですよね？　鶴田さん」と言った。

話が逸《そ》れた。谷部専務の話だ。

「ディズニーリゾートとの違いは」と言い、次のように説明してくれた。

テーマパークに来る利用客の大半は、「楽しむためにそこへ」来ている。感動を求め、日々の嫌なことを忘れ、楽しい時間を過ごすために訪れている。

それに比べて、新幹線は違う。

利用客は楽しい気分の人ばかりではない。大事な人を亡くし、新幹線に飛び乗った人もいるだろうし、大学受験や就職活動のための乗客もいる。仕事の失敗で地方へ謝罪に行く営業マンもいれば、はじめての新幹線に興奮する子供もいるだろう。

つまり、感動を押し付け、楽しみを提供することが良いこととは限らない。

谷部専務の話を聞き、わたしたちは、なるほどそういうことか、それはそうですね、と納得する思いだったが、「では、それを踏まえてわたしたちの仕事はどうやるのが適切なのだろうか」と疑問は湧《わ》いた。

谷部専務は、「いや、別にどうもしなくてもいい。いつも通り、ちゃんとやるしかないからね」と答えた。

わたしは二号車を端から掃除していく。頭で考えている暇はなく、次々と作業をこなす。

このE5系〈はやて〉は折り返し運転をし、新青森へ向かう。到着後、十二分で出発だ。

到着した客が降車するのに二分、乗るのに三分を見積もるため、清掃時間はそれを引いた、七分間だ。よく行くベーカリーの若い店員さんが教えてくれた豆知識に従えば、「ラブ・ミー・テンダー」を七回分というわけだ。

七分の間に、一人一両の割り当てで掃除を行う。グリーン車両は三名、そのほかにトイレを担当するスタッフがいて、一斉に作業を進める。

「家事に比べれば夢のようだね」笹熊さんが以前、言った。「家事はさ、どんなにやることが山積みでも結局、わたしがやるしかないからね。うんざりだけど、どうにもならない。でも、ここだとみんなが分担してくれるでしょ」

その気持ちは、わたしにもよく分かった。子供を起こし、着替えさせ、朝食の準備をし、登校準備を促し、送り出す。掃除機をかけ、食器を洗い、洗濯をし、浴槽を洗い、食材を買いに出かけ、娘を風呂《ふろ》に入れ、話相手になり、寝かしつけ、「テレビを観すぎないように」「宿題をやりなさい」と口を酸《す》っぱくして言い、学校からのプリントに目を通し、他の保護者と連絡を取り、体操服に名前を縫う。毎日がとにかく、「やらなくてはならない作業」で溢《あふ》れ返る。日々、次々とモンスターが襲ってきて、それを追い払っているうちに日が暮れる。娘の寝顔を見て、「もっと優しくしてあげれば良かった」と後悔に駆られる。明日はもっといい母親であろう、と自らに言い聞かせるが、明日になればまた、家事と仕事のモンスター退治で、てんやわんやとなる。わたしがあと一人いれば。そう思うことは多かった。限られた時間で、仕事を分担できれば。

新幹線清掃はそれができている。みんなで同時に、分担作業だ。

わたしは二十五メートルの車両の通路を端から進み、ゴミを回収していく。作業をしながら、ひとつ先の列に目をやる。背もたれのネットの中は、少し離れたところからのほうが確認しやすいのだと習ったが、実際、その通りだ。ゴミの回収が終われば、座席回りの拭《ふ》き掃除を行う。座席のテーブルを開き、拭き、また背もたれに戻す。ひじ掛けを拭き、窓横のスペースも拭く。

それを二十列、百席について行う。

拭き掃除が終わったところで、モップを使い、今度は床を綺麗にする。

「大きい竜をみんなで掃除している気分になりますよね」市川君に言われたことがある。普段、爪を齧《かじ》り、もじもじとしているばかりの彼が喋りかけてきたことが意外であったし、どうしてわたしに話してきたのかと驚いたが、ようするに、一番近くにいたのがわたしだった、ということ以外に理由はなさそうだった。市川君は、漫画なのか映画なのか、それとも小説なのかもしれないけれど、家ではそういった創作をしているらしい。そのことと関係があるのかないのか、「大きい竜」「ドラゴン」と発音する時はどこか興奮気味だった。「新幹線って、竜みたいじゃないですか。胴体が長くて。で、みんなで、こう分担して体をごしごし洗っている感覚ですよ」

そう思うと何かいいことがあるのだろうか、とわたしは疑問を感じながらも、「うんうん」と当たり障《さわ》りのない相槌を打っていたのだが、すると市川君はさらに話を続けた。「あ、でも、僕たちの仕事って車両の中を掃除するから、竜の体の中を掃除する感じですよね。内臓というか」

「そう考えると、トイレ掃除も気合い入ってきますよね。竜のフンだと思えば」

「ああ、うんうん」

「うんうん」

竜の体の中を行ったり来たりか、と思いながらわたしはモップを動かす。それを終えると車両上部、荷物置きをチェックする。

最前列の三列シートのところ、座席と座席の間のところに赤色のものが目に入った。あ、と手を入れ、引っ張り出す。小さな靴下だ。

薄い赤色に白い線が三本入っている。市販のものには見えず、手作りしたものなのかもしれない。一般的な子供用よりもさらに小さい。一歳から二歳の、赤色から想像するに女の子だろうか。子供は暑いといつの間にか靴下を脱ぐことがある。里央もよく、片方だけ裸足《はだし》、といった恰好《かっこう》をしていた。

☆

清掃が終われば、最後のお辞儀だ。カーテンコールのような大仰なものではないが、新幹線を背にスタッフが並び、礼をする。

そのお辞儀に気付く人もいれば、気付かない人もいる。わたしたちの仕事は目立つ必要はなく、かと言って、こそこそする必要もなく、ただ、やることをちゃんとやるだけ、鶴田さんが言っていた通りだ。

次の担当車両が来るまでは、時間があるため、わたしたちはみなで並んでホームを進み、階段を下り、スタッフルームに戻る。

途中で、階段を上がってくる女性とすれ違ったが、彼女の抱える子供の足元に気付いたのは偶然だった。視線を横にやった際にたまたま目に入ったのだ。右足は裸足であったが、左は赤い靴下で包まれている。

「あ」わたしはとっさに呼び止めた。

相手が立ち止まる。「はい？」と顔をしかめていた。肌のたるみがなく、張りがあるため年齢は若いのかもしれないが、やつれているように見えた。抱きかかえた子供は二歳くらいだろう。ちょうどこの年齢の子供は我儘《わがまま》盛りな上に、説得も交渉も効かないため、親はとにかく、ぼろぼろとなりながら、子供が成長することを待つほかない。わたしは数年前の自分を見ているような気分になる。

「あの、これ」わたしは用具入れの中、遺失物を収納したビニールから、靴下を取り出す。

「ああ」女性は強張った顔を緩めた。

「車内に落ちていて」抱きかかえられた女の子の足に、わたしはその靴下をあてがうようにした。間違いなく、この子のものだろう。

「ありがとうございます」と彼女は言う。わたしが足にそれを履かせると、「これ、お姑《しゅうとめ》さんが作ってくれた靴下で」と話をしてきた。「なくしたら、怒られちゃったので、助かりました」軽口のようではあったが、実感がこもっている。

「ああ」わたしの元夫はすでに母親を亡くしていたため、嫁姑の問題に悩まされることはなかったものの、大変さは想像できた。

「駅のスタッフさんなんですか」彼女は、わたしの恰好を上から下に確認する。

「ああ、はい。あ、いいえ。新幹線の車内清掃」わたしはただたどしく、答えた。

わたしたちの制服は、ぱっと見では、「掃除の人」とは分かりにくい。以前はその反対で、ぱっと見ただけで、「ああ、掃除のおばちゃんね」と分かるかのような、色のぼんやりした服装にバケツとモップ、という恰好だったらしいが、谷部専務がこの会社に来て改革を行った際に、まず真っ先にそれを替えたらしい。今は、白のシャツに黒のパンツ、キャップ帽を被《かぶ》っている。赤のウェストバッグをつけ、用具入れもコンパクトになり、バケツも持ち歩かない。

「それ、可愛《かわい》いですよね」彼女が指差したのは、わたしの頭部だった。キャップ帽の横に、大きな花がついている。今の季節は、ハイビスカスの花だ。

「ああ、はい。季節で変わります」

「何だか楽しそうですね」

「あ、いえ、はい」しどろもどろにわたしは答える。

スプーンひとさじの砂糖、その言葉を反射的に思い出した。パートで働きはじめたばかりの頃、スタッフルームに忘れ物を取りに戻ると、鶴田さんが一人で最後の片づけをしており、鼻歌を口ずさむようにしていた時があった。ふざけたところのない鶴田さんが可愛らしく歌うのは新鮮で、新鮮な上に気まずさもあり、聴いてはいけなかったのではないかと思ったわたしは息を潜め、ばれぬようにそのまま、外に出た。

聞こえてきた歌詞を頼りに、あとで調べると、そんなことを調べるわたしもわたしだとは思うのだが、それが、映画「メリー・ポピンズ」の歌だったことは分かった。

「ちょっと砂糖があるだけで、苦い薬も飲めるのよ。どんな花にも蜜《みつ》がある、楽しみ方を見つければ、つらい仕事も楽しくなるの」と、そういった内容だ。

それを聞いてわたしは、「ここの仕事もそれと似ているな」と思った。キャップ帽に花をつけるのも、みなでアイディアを出して、ベビー休憩室にグッズを並べるのも、本来の目的は、「利用する人の快適さ」のためだけれど、わたしたちもそれに楽しみを感じ、だから仕事が続けられる。

いつもしっかりと仕事をこなし、頼りになる鶴田さんも、「スプーンひとさじの砂糖」を見つけながら頑張っているのだろうか、と意外に感じた。

「いつもありがとうございます」子供を抱えた彼女が言う。どこか具合が悪いのか、顔色は良くない。

階段を下りる途中で、スタッフ専用の出入口があるため、わたしはそこで、その母子と別れ、スタッフルームに戻った。

スタッフルームはホームの下に位置する、細長い部屋だ。線路沿いに設置されており、各部屋をチームごとに使用する。通路を歩いている際に頭の斜め上の線路を、新幹線の車輪が通っていくのは、いつ見ても不思議な光景だ。一段下がっただけの場所であるのに、どこか秘密の通路じみた印象がある。担当車両の清掃が終わると、その部屋に戻り、次の新幹線が来るのを待つ。一日の作業が終わるまでそことホームを行き来するわけだ。

スタッフルームには大きなテーブルがいくつか並んでおり、決められた場所に座る。小学校の班のようではあるが、毎回、席は変わる。仲良しグループだけで集まり、固定化しないように、という配慮らしい。子供の頃からいつも同級生の輪に入れず、隅で読書に耽《ふけ》っていたわたしからすればそれは、ありがたさ半分、重圧半分といったシステムではあったが、時間が経過するうちに、みなが話しかけてくれ、馴染《なじ》むことができた。

「今の新幹線に」わたしの前に座るのは三津子さんだったが、その彼女が口を開いた。

「小学生の姉妹が車両に残っていてね」

☆

先ほどの新幹線で、三津子さんが担当したのは、わたしの清掃した車両の隣、三号車だった。乗客が降りるのを待ち、三津子さんが車両に乗り込み、清掃をはじめていくと三列シートのところに、女の子が二人寝ていたのだという。

東京駅に到着したにもかかわらず、寝たまま降りそびれる乗客は少なくないが、子供二人だけとなるとさすがに三津子さんも驚き、慌てて、揺り動かして起こした。

着ている服はさほど垢抜《あかぬ》けておらず、地味で、古臭く感じられた。お揃《そろ》いの服であるから姉妹だろうと想像がつく。

姉のほうが先に目を覚まし、すっくと体を起こすと顔を右へ左へと振って、「あ、東京？」と声を出した、そして体を捻《ひね》り、妹のほうを揺する。

「お母さんとかは一緒じゃないの？」親はもう降りてしまったのだろうか、どういうことか、と三津子さんは心配した。

「ううん、今日は二人だけで東京に来たから」

「二人きりで？」子供だけの旅行も珍しくはない。が、三津子さんはその姉妹が気になったのだという。

だって、何か本当に、地方から着の身着のまま飛び出してきました、って感じだったから。

そしてその姉の説明は、「お父さんがこっちにいるって言うから、探しに行こう、って。お母さん、病院にいるし」と、ますます三津子さんを心配にさせるものだった。

「まさか、内緒で来たの？」三津子さんの問いかけに、その姉のほうはこくりとうなずいた。

「切符は？」

「買ったよ。お小遣いあるから。お年玉」

「二人で大丈夫なの？　お父さん、探すと言っても、東京は広いから」

姉のほうは顔を引き締める。「大丈夫、何とかなるんだから」

「お父さんが好きなんだね」と声をかけると、姉のほうはかぶりを振り、「すぐ叩《たた》いたりするし、怖いし、勝手だから嫌い」と答え、三津子さんをまた絶句させたという。

でも、お父さんいないと困るから。姉は言ったらしい。「ねえ、大丈夫だよね？」と今度は、少し縋《すが》るような言い方をしてきた。気付いた時には三津子さんは、「そうね。きっと、大丈夫よね」と励ましていた。

だってそう言ってあげるしかないような気がして。

三津子さんは姉妹に向かい、「あのね、どんなことも、思っているほどは悪くないんだってよ」と言った。

「え」姉のほうがぼんやりと答えた。

「次の日には、少しは物事が良くなってるの」

それ、鶴田さんから教わった言葉なんだよね。

三津子さんはわたしの目を見ながら、なぜなら彼女の真正面に座っているのがわたしだからなのだけれど、言った。

どんなことも思ったほどは悪くない。翌朝になれば改善されている。

「もともとは、ほら、何とか国務長官の言葉みたいだけど」

「パウエル国務長官な」六郎さんが即答した。

「あら、六郎さんもよく知ってるね」

「だって、鶴ちゃん、あの本、好きだから。俺にも、読め読めって薦めてきたよ」

「わたしなんて」三津子さんも苦笑する。「結局、本買っちゃった」

意識不明の状態にあるだろう鶴田さんのことを想像し、実感が湧かないものの、寂しい気持ちに駆られる。他のスタッフも同じなのか、みな、神妙な顔つきになった。

スタッフルームに星山《ほしやま》さんが入ってきたのはその時だ。

「あ、六郎さん、さっきの人ですけど」

星山さんは、コメットスーパーバイザーの一人だ。わたしたち清掃担当と違い、利用客の案内やコンコースの清掃などを担当する役割で、服装も少し違っている。別段、どちらが偉いわけでもなく、単に、同じスタッフが順繰りに、清掃担当とコメットスーパーバイザーを受け持っていくのだが、そもそも、英語の「コメット」とは「彗《すい》星《せい》」のこと、いわゆる「ほうき星」のことで、「箒《ほうき》」と関連があるのだから、清掃をするわたしたち全員が、コメットさんとも言えた。

「おお、星山さん、どうだった」六郎さんが手を振る。

背筋が伸び、色白で、目の大きな星山さんは、四十代とはいえモデルのようでもあって、六郎さんをはじめ、男性スタッフからいつも、きらきらとした視線を向けられている。同い年の旦那《だんな》さんと二人で暮らしているらしい。性格はさばさばし、女性陣からも好感を持たれていた。

「何だか大変だったの。少し言い合いになって」

☆

もともとは六郎さんが遭遇した出来事だという。六号車のドアで乗客が降りるのを、ごみ袋を広げながら待っていたところ、最後の最後に女性二人がばたばたと出てきた。

「ありゃ、三十半ばと二十代後半ってところだったな」と六郎さんは、自分の鑑識眼を誇るかのようにわたしたちに話した。

六郎さんが清掃のために車内に入ろうとしたところ、降りたばかりの若いほうの女性が急に踵《きびす》を返し、「やっぱり帰らないと」と新幹線に足を踏み出したものだから、六郎さんの体とぶつかったらしい。

六郎さんは弾《はじ》き飛ばされる形でバランスを崩し、倒れかけたがどうにか体勢を立て直した。女のほうは靴が脱げた。「痛い」と呻《うめ》く。六郎さんはとっさに、「申し訳ありませんと頭を下げた。まあ、そのへんはね、俺もタクシーやってたから知ってんだけど、とにかく、客商売は頭下げてないと駄目だから。

年上の女性のほうがすぐに、「いえ、こちらがぶつかっただけなので」と謝り、「ほら、この新幹線に乗ったって駄目なんだから」と年下のほうの女性を引っ張った。

「何で？　この新幹線、折り返すんでしょ」年下の女性のほうは言った。

「東京までの切符しか持ってないんだから、乗ったって駄目だよ。ほら、いいから、帰ったら元も子もないんだし」腕を無理やり引っ張る女性は眉間《みけん》に皺《しわ》を寄せていた。

どうしたものか、と六郎さんが戸惑っていると、そこにちょうど老夫婦をホームまで案内しに来ていた星山さんが、通りかかった。「ちょっと、この人たちをお願い」と六郎さんは頼み、清掃に取り掛かった。もともとコメットさんなる係ができたのは、清掃担当者が、困っている乗客に対応する余裕がないため、別働隊として期待されたからだ、と聞いたことがある。

そして今、星山さんは、六郎さんにその後の顚末《てんまつ》を話しに来たらしい。

「あれってどうも、お姉さんが、妹さんを無理やり東京に引っ張ってきたみたいでしたよ」

まわりにいるわたしたちも自然、それを聞くことになった。

「無理やり？」

「あのお姉さんが、妹さんを助けようとしていたからこそ、連れてきたみたいで」

「星山さん、それ、どういうことっすか」市川君が訊ねる。

「わたしもやり取りから想像しただけなんだけどね、あの妹さんは東北のどこかに住んでいるみたいなの。ただ、その旦那さんが暴力振るうのか、何なのか、とにかくひどいらしくて」

「あらあ」何人かの嘆きが重なった。

妹を避難させるために、お姉さんが新幹線で連れてきた。そういうことのようだ。ただ、東京駅に着いた途端、妹は、夫の恐ろしさを思い出し、「このままでは夫に怒られてしまう」と怖くなった。だから、すぐに戻らなくては、と慌てたのだ。我に返った、というよりも、洗脳の呪《のろ》いが蘇《よみがえ》った、というべきか。

お姉ちゃんは、わたしに構わないでいいから。もうわたしだって子供なわけじゃないんだし、放っておいてくれていいから。

妹は、星山さんがいる前で、そう訴えたのだという。

「お姉さんが親がわりだったんですかね」星山さんは話す。

「そのお姉さん、どんな感じだったの？　怒ってるの？　呆《あき》れてた？」笹熊さんは興味津々《しんしん》という様子でもないのだろうが、質問する。

「悲しそうでしたけど、慣れているというか」星山さんはゆっくりまばたきをした。「とにかく、一生懸命でしたよ。DV旦那のもとに帰すわけにはいかない、って。わたし、そのお姉さんに同情しちゃいました」

妹は、その姉に向かい、「お姉ちゃんは、わたしにいろいろ命令するけれど、婚約者にもふられちゃったりして、駄目じゃないの」と甲高い声でなじったらしいが、それにしても、星山さんには、「妹のことで、破談になったのではないか」と思えたそうだ。

「お姉さんのほうも一瞬、明らかに何か言いかけたけれど、こらえていて。偉いなあ、と感心しちゃった」星山さんは言う。

「で、結局どうなったの」

「お姉さんが必死に説得して、引っ張っていきました」

「大変だねえ」三津子さんが腕を組んだまま、嘆いた。「これからどうするんだろうね、いったい」

スタッフルームから出て行こうとした星山さんが、途中で、「あ、そういえば」と思い出したかのように振り返った。「あの、今、どこかで、化石とかそういうのの展示会ってやってます？」

どうしたのかと思えば、先ほどホームから改札まで案内した婦人たちに、『人類の起源展』を観に行くにはどこに行けばいいのか」と訊ねられたのだという。

「起源展？　そんなのあったっけ」笹熊さんがみなの顔を見る。

「何とか美術館展とかじゃなくて？」三津子さんが言った。「ほら、『ヴィーナスの誕生』とかいう絵が来てたやつ」

「ああ、それ、観に行きましたよ」市川君が答える。「初めて来日した名画ですよね」

「来日って、別に、絵が自分で歩いてきたんじゃないだろうに」六郎さんの言葉を聞きながらわたしは、そういった絵を誰かが、「ちゃんと」運んでくるのだな、とぼんやりと思った。

「ううん、ヴィーナスは関係なくて。美術館じゃなくて、博物館の」星山さんが笑う。

「人類の起源って、原人とか」

「あ、クロマニョン人とかのですか」市川君が声を上げた。「原始人というんですかね、その化石とかの？」

「そうそう」

「あ、それなら上野だったかな。さっきの一号車で、床にチラシが落ちていました。忘れ物なのかどうか分からないんですけど、一応、拾って、しまってあるんですけど」

「ゴミなのか落し物なのか判断つかないものが、一番困るよな」六郎さんが嘆く。

「前から、鶴ちゃんがよく言ってたけどよ」

「鶴田さんの状態、どんな感じなんですか」コメットの星山さんが気にかけてくる。

「どうだろうねえ」笹熊さんが唇を結ぶ。「早く帰ってきてくれないと、困っちゃうんだけど」

「鶴ちゃんいないと、引き締まらないもんな」六郎さんが言うと、みなが、うんうん、とうなずいた。

「わたし、この仕事に入った時、鶴田さんにいろいろ教えてもらって、今も大事にしている言葉があるんですけど」星山さんがおもむろに言った。「『大事なのは、冷静でいることと親切でいることよ』って」

「いつもしっかりしている星山さんには、余計なお世話だけどなあ」

「それ、逆です。わたし、それを聞いて、意識するようになったんです。冷静であれ、親切であれ、って」

するとそこで、「ああ」と三津子さんが声を出した。「それも、パウエル国務長官の言葉だよね」

「え、そうなんすか」市川君がのけぞる。

「そうそう。鶴田さんご推薦の、パウエル国務長官の心得に載っていたよ」

「鶴田さん、影響受けすぎだなあ。そこまでパウエルさんが好きなら」六郎さんが言った。「結婚しちゃえばいいのに」

みなが明るく笑う。

「でも、パウエルさんってすでに結婚してるんじゃないですか」と誰かが言い、「不倫はまずいなあ」と別の誰かが返し、それからわたしはふと、「鶴田さんって結婚しているのかな」と思った。

星山さんも、わたしと同じことを思ったのだろうか、「考えてみたら、鶴田さんのことを何も知らないんですよねえ、わたし」と言った。

☆

わたしたちはテーブルを囲み、折り紙飾りを作りはじめた。ベビー休憩室の壁の飾りを替えるため、この空いている時間を利用して、みなで作るのだ。黙々と手作業を続けている中、「そういえば、さっき、ちょっといい話を聞きましたよ」と男性の、低い声が聞こえた。八木《やぎ》さんだ。五十代で、孫もいるらしい。白髪を横分けにし、背筋が伸びた立ち姿は、高級料理店の給仕や、執事のように見える。

「いい話？　何？　聞きたいねえ」笹熊さんが大きな声で訊《き》き返した。

「私、八号車のところで新幹線を待っていたんですけどね」

八木さんがホームに着き、E５系〈はやて〉を待とうとしたところ、青年に呼び止められた。「グリーン車ってどっちでしたっけ」と少し流行遅れのシャツを着た男は言う。

まだ幼さが残るから、二十歳くらいじゃないですかね。

グリーン車は隣の九号車です。と八木さんは持ち前の礼儀正しさで、答えた。

聞いた六郎さんが、「はたちで、グリーン車かい、それはまた贅沢《ぜいたく》だねえ」と口を挟む。八木さんとは同世代であるからか、二人の会話にはいつも友達との雑談を愉《たの》しむような雰囲気がある。がさつで、いい加減そうな六郎さんと、正装が似合いそうな八木さんとではタイプが違うが、それがまた、同級生同士のようでもあった。

「グリーン車で伯母が来るんですよ」とその若者は説明をしたらしい。身分不相応の自分が乗るわけではないのですよ、と言い訳するつもりだったのだろう。

「伯母さんですか」

若者は目を細め、「ええ、僕にとっては親よりも大事な」とうなずく。その屈託のない、さわやかな態度に八木さんは少し圧倒されたが、「親よりも大事、というのはすごいですね」と相槌《あいづち》を打った。

「うちの母はいろいろ脆《もろ》くて」若者は年の割にはずいぶん大人びて、言葉の使い方も落ち着いていた。

「脆くて？ 身体《からだ》が弱いんですか」

「心が、ですかね。弱くて、何もできなくて、子育てを放棄しているようなタイプで」そのため彼は、児童相談所や施設を行き来する生活だったらしいのだが、何かあるたびに伯母が親代わりになってくれたのだという。

「僕の父親がまた、ひどい男で、とっくに離婚しているのに、母に付き纏《まと》ってきて。それもあって母は調子を崩していたんですよ。でもそういう時も、伯母が立ち向かってくれて。ほら何と言うんですかね、義経《よしつね》を守る弁慶《べんけい》じゃないですけど」

「立ち往生？」

「矢面に立つ？　ちょっと違いますかね。盾になってくれたんですよ。伯母がいなかったら、僕はまともに育っちゃいません」

それは素晴らしい伯母さんですね、と八木さんは返事をした。話を合わせたところもあったが、実際に、感心してもいた。

「ここ数年、伯母は、親の介護でずっと、八戸《はちのへ》にいて。あ、親っていうのは、僕の母や伯母にとっての親ってことで、僕にとっては祖父になるんですけど」

「ああ、なるほど、そうなんですか」としか八木さんも言いようがなかったが、若者は、「久しぶりに伯母が東京に戻ってくるんですよ」と嬉《うれ》しそうだった。

どうやらあの若者は、初任給でグリーン車のチケットを購入し、伯母に送ったみたいですね。八木さんは、わたしたちにそう話した。「あの彼は、『いつも、誰かのためにばかり生きている伯母に、少しでもいいからゆっくりしてもらいたくて』と言っていました」

そいつは確かにいい話じゃないか、と六郎さんは言った。「いいなあ、八木君はそんないい話に会って。俺なんてほら、女の人にぶつかられて謝っただけだし。次は俺も負けないぞ」と妙なことを言い、他のスタッフに、「そんなこと競ってどうするの」と言われた。

新幹線がホームに入り、停止した後、乗客が降りるのを待っていた八木さんは、一両先のグリーン車が気にかかった。その若者がね、本当にそわそわしていて、恋人を待つようでしたよ、と魅惑の低音で描写されると、わたしたちはドラマのナレーションを聴いているかのような気持ちになった。

やがてグリーン車両から小柄な女性が下りてきた。若者は照れ臭そうでありつつも顔を綻《ほころ》ばせ、「やあ」と言った具合に手を挙げた。

「八木さん、その伯母さんはどんな表情していたんですか？」わたしの前に座る三津子さんが大きな声で訊《たず》ねた。

「私のところからは背中しか見えなかったですけれど」八木さんが答えた。「嬉しかったんじゃないですかねえ」

だよねえ、そりゃ。わたしなんて甥《おい》どころか孫にも蹴《け》飛《と》ばされてるっていうのに、と笹熊さんの豪快な笑い声で、スタッフルームの明るさが増した。

そこで、部屋の隅に置かれたモニターに目をやったスタッフが、「あ、上野を出るね。そろそろです」と言った。

わたしたちが受け持つ新幹線がやってくるのだ。上野を出発した頃合いで、スタッフルームからホームへ向かうと時間的にはちょうどいい。

「さあ、新幹線、掃除してやるから待ってろよ」六郎さんが威勢良く言いながら、用具入れを持ちはじめる。「首を洗って待ってろよ」

わたしたちも各自、準備をはじめる。

「待ってろよ、というか、ホームで待つのはわたしたちのほうですよ、六郎さん」三津子さんが指摘する。「あと、首を洗って、というか、洗うのは僕たちですけどね」と市川君がぼそぼそと続けた。

スタッフルームを出て、わたしたちは一列になって、新幹線ホームへ向かう。

半地下の通路を、斜め上の線路を見上げながら進んでいく。階段を越え、表側へと出る。二十三番線に立つ。二階建て新幹線Ｍａｘ、二号車を待つため、配置に着き、わたしは気を引き締める。七分間で清掃するには、それぞれが自分たちの作業を滞らせることなく、こなす必要がある。

「別に、掃除の速さを競っているわけでもないからね」と以前、鶴田さんが言っていた。「たまたま、七分しかないから、その間でできる限りのことをやっているだけで」

最近は、わたしたちの新幹線清掃の仕事も雑誌やテレビで取り上げられることが増えた。自分たちのことが評価されるのは光栄で、誇らしいことではあるものの、七分間でぴかぴかに。世界最速の清掃！　とその、「仕事の速さ」や「効率性」に注目されることが多いのも事実だ。もちろん、わたしたちは精一杯頑張って、その、「七分間の清掃」をやり遂げているのだから、褒められればうれしいが鶴田さんが言うように、「十五分かけて掃除していいのだったら、十五分かけて、もっときれいにできる」という思いもある。

七分しかないから、七分で頑張っている。鶴田さんが引用した、パウエルさんの言葉ではないが、ただ、ベストを尽くしているだけだ。

アナウンスが聞こえる。下り側から、ゆっくりとやってくる車両が見えた。

わたしはじっとホームに立ち、お辞儀をする。横に、新幹線が滑り込んでくる。自分がそのまま前に走り出すような錯覚に襲われることもある。風がかかる。新幹線がブレーキをかけ、停止したところで、わたしはお辞儀をやめる。さあ、仕事だ。

☆

スタッフルームに戻ってきたところで、スタッフの一人が、階段の近くで拾ったという画用紙を広げた。「これ、落し物扱いですよね」とテーブルの上に紙を広げる。画用紙いっぱいに、新幹線の絵が描かれていた。クレヨンを使ったものだ。子供の手によるものだと分かる。いびつな形をしているものの、何両もの車両が繋《つな》がっている様子がよく表現されていた。

「うまい絵ね」と笹熊さんが感心した。「乗客もいるし」

確かに、絵の各車両には人の形をしたイラストも描かれてあった。

「先頭のほうはまだ、車体の中に人を収めようという努力が感じられるんすけど」市川君が一両目の絵の中に描かれた小さな人を指差す。「だんだん大きくなっちゃって、人が車両から、はみ出してますよ」

最初は几帳面《きちようめん》にやっていたのが次第に面倒臭くなってしまったのね、と誰かが言った。きっとそうだ、とわたしも微笑《ほほえ》ましく感じたのだが、そこで自分で意識するよりも先に、「何となく、人が成長していってるようにも見えますね」と発言していた。自分で言ってから、問われてもいないのに意見を口にした自分に驚いた。慌てて口を噤《つぐ》むが、すでに出てしまった言葉はどうにもならない。

念頭にあったのは、里央のことだ。離婚してからの子育ては、毎日が慌ただしいイベントを開催しているかのようだった。思うようにならない子供に爆発しそうになる一方、かけがえのない存在に癒《いや》される。息つく暇のない毎日は、お手玉をするピエロの姿と重なった。が、子供は成長する。一日ずつ、少しずつでも確実に大きくなり、気付けばわたしの手間は減り、つい先日は、「お母さんは喋るの下手だから、わたしが説明するから」とファミリーレストランの店員に話をはじめた。生意気だなあ、と、頼もしいなあ、が交錯した。あっという間に大きくなっていく子供の成長は、いつもホームにやってくる新幹線を思わせる。轟音《ごうおん》を立てるでもなく、滑らかに走り、まばたきをしている間に遠くへ行っている。駅に到着したわずかな時間に掃除をするように、わたしは限られた時間の中で、娘に接する。

そういった里央への思いが、その絵と結びついたのかもしれない。わたしが珍しく自分の意見を口にしたことに、スタッフのみなは少し新鮮な顔を見せた。わたしは赤面する。

「あ、二村さんのアイディア、面白いっすね」市川君が勢い良く言った。「確かにこの絵、後ろの車両に行くほど、人が大きくなっていってますもんね。そういう話があったら面白いなあ」

「そういう話ってどういう」八木さんが真面目《まじめ》な顔で聞き返す。

「ええと、タイムトリップとかとは違いますけど、たとえば、車両を移動するたびに時代が変わるというか」市川君は、どこか別の世界に行ってしまったかのように口数が多くなった。「一両目で、十代だった人が二号車に行くと」

「二十代に？」わたしは答えている。いつの間にかみなが、市川君の広げた画用紙の前に顔を寄せ合っていた。

「あ」市川君がそこで、ふわりとした声を発する。「ほら、そういえば、今日のさっきの〈はやて〉ってそんな感じありましたよね」

「さっきの〈はやて〉？」

「ええ。今のＭａｘじゃなくて、その前に作業をした〈はやて〉です。三号車の三津子さん、子供の姉妹に会ったって言ってたじゃないですか」市川君は指を突き出していた。自説をとうとうと語る学者か、もしくは、アメリカの法廷映画で見る弁護士のようでもあった。

「ああ、東京に着いたのに寝ちゃってた二人ね。お父さんを探しに来た、っていう」

「そして、六郎さんがぶつかったのも姉妹でしたよね」

「ぶつかったんじゃなくて、ぶつかられたんだけどな」

夫に縛られた生活から妹を脱け出させるために、姉のほうが東京に連れてきた、という話だった。

「さらに、ほら、八木さんが会ったのは」

市川君に言われた八木さんは、「伯母を迎えに来た甥御さんだったけれど」と答える。

「母方の伯母ってことはほら」「それも姉妹ってことか」「でも、それが何なのよ」

「それが全部同じ姉妹だったら、どうします？」市川君が目を輝かせた。

わたしたちはみな、すぐには反応できない。ショックを受けたというよりは、あまりに馬鹿《ばか》げた話に、何と声をかけてあげたらいいのか、とためらった。

「同じ姉妹って、何それ」三津子さんが眉《まゆ》をひそめる。「だって、わたしが見たのは子供だったのよ」

「だから、後ろの車両に行くほど成長してるんですよ。子供の姉妹が、六号車では、大人になって現われたんじゃないですかね」

六郎さんが、八木さんと顔を見合わせた。

わたしもさすがに鼻白んだが、思い出すものもあった。「わたしのところで、お母さんに抱えられた子が靴下落としてましたよ」

「あ、ほら」市川君が勝ち誇った声を上げる。「二村さん、二号車でしたから、三津子さんの見つけた姉妹よりも、さらに時代が遡《さかのぼ》るんですよ。だから、一歳とか二歳とかで」

「姉妹ではなかったですよ。お母さんに抱えられた女の子一人です」わたしは咄嗟《とっさ》に口にしてから、市川君をがっかりさせたかな、と後悔した。が、彼は意気消沈するどころか意気揚々となり、「それはほら、妹さんが生まれる前の時代だからですよ」と言った。「そういう意味では僕たちが遭遇したのは、姉妹じゃなくて、お姉さんのほうの人生ってことですかね」

「ことですかね、と言われてもなあ」六郎さんが呆れる。

「市川君が、いつになく興奮してるのは楽しいけれど」

「でも、そのお姉さんの一生を思うと、何だかいろいろ考えさせられますよね」八木さんが例の低音でぼそりと言うと、床が振動し、こちらのおなかに響くかのようだ。

「え、どういうこと？」

「だって、子供の時は、お父さんを探すために妹と一緒に東京に来て、大人になったら、妹を夫から助けて」

「妹のせいで、結婚もできなかったみたいだったし？」三津子さんが言う。「ああ、でも、グリーン車を手配してくれる甥っ子はいたってことね」

市川君は腕を組み、うなずく。「甥御さんというのはつまり、その妹さんの息子ってことですよね。ＤＶ夫との子供なのかどうかは分からないですけど、とにかく、育児放棄の母親にかわって、そのお姉さんが、親代わりになったわけで」

「妹のために、人生を使っていたような人なのかなあ」と八木さんが言う。

わたしたちはそこで、また静かになった。今度は、市川君の、「憶測の力説」「妄想の押し売り」に気圧《けお》されたというよりは、その架空の、「姉」の人生に思いを馳《は》せるような感覚になったからだろう。少なくともわたしはそうだった。

「でもさ、全部、市川君の想像物語だよね」と冷静に言ったのは笹熊さんだったが、市川君はもはや、停車するつもりのない運転士のような勇ましさで、「後藤田《ごとうだ》さんはさっきの〈はやて〉の仕事の時、何かありませんでした？」と五号車を受け持っていた主婦の後藤田さんに目を向けた。

え、わたし？　少し離れた席でのんびりしていた後藤田さんは急な指名に、顔を引き攣《つ》らせた。「何か、って」と記憶を辿《たど》るような顔になる。

「姉妹がいませんでしたか？」

「市川君、刑事みたいになってるぞ」

「だって、わたしが仕事する時は、乗客は下りちゃってるからね」後藤田さんは言いかけたが、そこで、「ああ、そういえば」と声の調子を変えた。

「何かありましたか」市川君が前のめりになる。

「姉妹とかじゃないけど、酔っぱらいがいたみたい。降りてくる時に、誰かがそのことを話しているのが聞こえてきたけれど」

「酔っ払い？」

「そう。若い女の人が絡《から》まれて、でも、近くにいた乗客が助けてあげたんだって。恰好良かったらしいけれどね」

「恰好いい？　酔っ払いが？」

「やあねえ、三津子さん。助けた人が、ですよ。こう、何て言うの、拳法《けんぽう》というか、「あちょー、ってやっつけたらしいのよ。本当か嘘《うそ》か分からないけれど」

「あちょー、って」笹熊さんが苦笑した。が、そこでわたしは、あれその話、と気が付いた。笹熊さん自身もそうだったのか、「あれ」と言う。他の人たちもそうだった。

「どこかで聞いたことあるね」と。

言葉に出したのは、六郎さんだった。「それ、鶴ちゃんが昔言ってたよな」

「え、何のこと」当の後藤田さんは状況が呑《の》み込めないのだろう、なぜなら、鶴田さんが若い頃に酔っぱらいに絡まれた話を知らないからだろうが、「わたし、変なこと言っちゃった？」と周囲をきょろきょろしている。

わたしは、笹熊さんに視線をやり、それから三津子さん、六郎さんとも顔を見合わせた。まさかね、と思いつつも心の中で、膨らむ考えを抑えられない。

「鶴田さんの人生？」誰かがそれを口にした時、スタッフルームのドアが開き、垣崎所長が入ってきた。

☆

どう、鶴田さんいないけれど、問題は起きていない？

垣崎所長は、みなを見回した。

「大丈夫ですよ」と笹熊さんが答えた。

「垣崎さん、あのさ」すぐさま六郎さんが手を挙げた。成績はよろしくないが、憎めない生徒といった様子の六郎さんは、「成績はよろしくないものの憎めない生徒」ならではの人懐《ひとなつ》こさで、上司だろうが誰だろうが、いつだって気軽に接した。「鶴ちゃんの妹さんの話って聞いたことある？」

「鶴田さんの妹さん？」垣崎さんは姿勢よく、司令官じみた立ち姿で、ぼそっと呟《つぶや》く。

「いや、鶴田さんのことってわたしたち意外に知らなかったなあ、と思って」三津子さんが言葉を足した。

「言われてみれば、私もあまり知らないなあ」垣崎さんは答える。

まあそうですよね、とみなが反応しかけたが、垣崎さんが、「あ、そういえば、甥御さんのことを言っていたから、そういう兄弟か姉妹はいるのかな」とぼそりと言うものだから、わたしたちは色めきたった。もちろん一番興奮したのは市川君だ。「垣崎さん、それ妹さんの息子さんですよね。鶴田さん、その甥御さんのことを一生懸命育てたんじゃないですか」

まくし立ててくる市川君に驚きつつも垣崎さんは、「そんなことまでは分からないよ。どうしたの、みんな」と苦笑した。「ああ、でも」

「何ですか」市川君と笹熊さんが同時に尋ねる。

「いや、確か、少し前に甥御さん、亡《な》くなっちゃったんじゃないかなあ」

え、と誰かが息を止めるようにし、驚いた。

「事故だったか病気だったか。まだ若かったはずだけれど、バイク事故とかだったかなあ。前に、鶴田さんが何かの拍子に言っていた気がするよ。たぶん、この仕事はじめる前のことだったんじゃないかな」

わたしは胸が締められる感覚に襲われた。

身体の芯《しん》を絞られ、体に穴が空く。咄嗟に頭の中で、「妹のため、甥のために人生の時間を費やした鶴田さんには、何も残らなかった」と、人生を安直に要約していた。

鶴田さんの一生とはいったい何だったのか、と。

「まさかなあ」六郎さんが顔を引き攣らせ、首をひねる。八木さんも、「何だか、うっかり、信じちゃいそうになりますね」と低音で呟く。おいおい、みんなどうしたの、と垣崎さんは相変らず状況が呑み込めず、戸惑っていた。

すると無線連絡が入ったらしく、耳のイアフォンを触りながら垣崎さんは、応答の声を発し、部屋の隅に移動した。残ったわたしたちはしんみりとその場で顔を見合わせる。

「鶴田さん、いろいろあったんですね」市川君が神妙な声を発した。

「まあ、そりゃみんないろいろありますよ」八木さんは答えた。

「ちょっと何、みんな信じちゃってるわけ？」そう笑う三津子さんも、どこか顔は緊張していた。「鶴田さんの一生が、新幹線に乗ってきた、なんてあるわけないでしょ」

「まあ、そうだよねえ」笹熊さんは腕を組む。「市川君の力説に、丸め込まれそう。ねえ、二村さん」

ああ、はい。わたしは曖昧《あいまい》に答えたが一方で、鶴田さんから教わった言葉も思い出していた。パウエル国務長官の教え、「常にベストをつくせ。見る人は見ている」だ。

見る人は見ている。いったい誰が？　そう聞き返したい時が、わたしにもあった。

誰が見てくれているの、と毒づきたくなることが。もしかすると、鶴田さん自身もそう感じたことはあるのではないだろうか。「スプーンひとさじの砂糖があれば、仕事も楽しい」とメリー・ポピンズの歌を口ずさんでいた鶴田さんは、もしかすると仕事だけではなく自分の人生のこともそうやって好きになろうとしていたのかもしれない。どんな花にも蜜がある。どんな仕事にも砂糖はある。どんな人生でも価値はある、と鶴田さんは言い聞かせていたのではないか。わたしは勝手に想像し、ますます息苦しくなる。世界で千番目くらいに大変、とそう思いながら、乗り越えてきたのだろうか。

やがて、「見る人は見ている」ともう一度その言葉を反芻《はんすう》した後で、そうか、と気付いた。鶴田さんの人生を、わたしたちが見たことになるのではないか。先ほどの、〈はやて〉の各車両で、わたしたちがそれぞれ分担し、ベストを尽くしてきた鶴田さんを見た。そういうことではないか。そういうこと？

でもそうなると、鶴田さんの生涯の総決算、走馬灯のようで、どうにも縁起が悪い。わたしは自分の考えを振り払ったが、そこで垣崎さんが、「みんな、朗報！」と快活な声を出した。「今、事務所に連絡が入ったそうだけど、鶴田さん、意識戻ったたって」

わあ、とスタッフルームに歓声が上がった。応援するチームが、得点を上げたかのようだ。知らず、わたしも手を叩いている。

「いや、そうだよ。鶴ちゃんがそう簡単に」と六郎さんの言い方も明るくなった。

わたしは安堵《あんど》を覚えたが、急に垣崎さんが、「あ、それから、二村さん」と名前を呼んでくるのではっとする。「ええと今、事務所のほうに連絡があったらしいんだけれど、小学校から電話があったようだよ」

小学校？　どこの学校？　わたしの？　と思考が追いつかない。「ほら、娘さんの学校からじゃないかな」と説明され、やっと状況が呑み込めた。

みながわたしを見るが、そのことに緊張している場合ではない。学校から呼び出しとは、里央に何かあったのか。

「緊急だったら大変だろうから、電話をかけてみていいよ」と垣崎さんに言われ、わたしは恐縮しつつも自分のバッグのところに行き、取り出した電話を操作する。

電話のコール音が異様に長く感じられた。担任の教師に繋がると、名乗る前から、「里央、どうなんですか」と取り乱すように言ってしまった。

「実は里央ちゃん、少し体調が悪くなってしまって」と答えがあるため、「心配」がどっと体の中に溢《あふ》れたが、話を聞いているうちに、事態は深刻ではないと分かり、落ち着いた。

食物アレルギーによる湿疹《しっしん》が出たらしい。幼稚園の頃に比べるとほとんど症状が治まっていたのだが、やはり完全に克服したわけではないのだろう。薬を飲めば、症状は楽になるはずだ。里央自身も保健室で横になっていれば大丈夫、と言っているらしいが、担任教師としては念のため、と電話をかけてきたようだ。

わたしは一度電話を切ったが、ちょうどそこで着信があった。学校からかけ直してきたのかと思えば、表示されている発信者名は、母の名前だった。反射的に受話ボタンを押すと、母の声が、「今、家にいる?」と呑気《のんき》に言ってくるので、かちんと来た。それどころじゃないんだから、と怒りかけたが、「近くの駅まで来ている」と言われ、思い留まった。

里央を学校に迎えに行ってあげてくれないか、と頼んでみることにしたのだ。

今日の作業分担はすでに決まっている上に、鶴田さんも休みであるから、できれば仕事場を離れることは避けたかった。里央の体調も気にはかかるが、緊急度や深刻度からすれば、このまま仕事をやり遂げるほうが誰にも迷惑がかからない。

母の反応は想像できた。おそらく、大きな溜《た》め息を吐《つ》き、「子供のために早退もできないような仕事なんてしているからよ」と批判口調で言ってくるのではないか。

とはいえ、背に腹は替えられない。何を言われても甘んじて受けよう。

が、予想に反し、母は軽やかな声を出した。「じゃあ、里央を迎えに行けばいいのね。了解」と大人しく、こちらの指示を聞いた。危うく、わたしのほうが驚きそうになった。

電話を切る前に、「本当はわたしが行ければいいんだけれどね」と言ってみたのだが、すると母は、「あなただって、大事な仕事してるんだから、しょうがないよ」と答えた。

「え」

「チームでやってるんでしょ。この間、新幹線に乗る時、わたし、清掃の仕事の人たち見かけたのよ。大変なことやってるのねえ」

「ああ、うん」わたしは言葉が続かなかった。

「時にはわたしを頼っていいからね」と母は言った後で、「まあ、嫌だろうけど」と笑った。切った電話を少しの間、ぼんやり眺めてしまう。ほどなく、垣崎さんに状況を説明した。

そこで、「あ、そうか」と突如、市川君が指を鳴らした。

何事か、と驚いているわたしたちを尻目《しりめ》に彼は、用具入れのほうへ行き、紙を取り出してきた。「これ、ほら、さっきの〈はやて〉で落ちてたやつなんですけど」と言う。

「おいおい、次は何なんだよ」「また、鶴田さんの人生？」

みなが言う中、市川君が自信満々の表情でそのチラシを、ばっと広げる。「ほら、これも、鶴田さんの人生の一部ですよね。人生というか、歴史というか」

何のチラシなのか、とわたしは首を伸ばし、その紙を覗《のぞ》いた。これがどうかしたのか、と動揺し、それから噴き出さずにいられなかった。

チラシは、「人類の起源展」のもので、原人の絵が描かれている。

「鶴田さんの歴史という意味では、関連があるのかもしれません。一号車だから、遡るわけですし」

原人が？　八木さんが訊ねる。

「ええ。鶴田さんの人生を遡れば、ここに繋がっていますから。ほら、全部、繋がっています」

だからと言って、原始人はさすがに、とわたしは笑う。

遡りすぎだろうに、と六郎さんが怒った。

後ろの声がうるさい

◇

東京行きの新幹線〈はやぶさ〉の車内は普段より空《す》いていた。私は窓際《まどぎわ》の座席で窓の外を流れていく昼過ぎの風景を眺めながら、赤の新車のことを考えている。大学時代から車は好きで、地方都市で生活していたこともあり、さんざん乗りまわしたが、東京で自家用車を維持するとなれば、駐車場の確保をはじめ費用は馬鹿《ばか》にならない。そもそも出かける先はほとんど電車でまかなえるため、車の必要性がない。

だが、先日、宣伝で見た赤の新車に一目惚《ひとめぼ》れをしてしまったのだ。デザインに惹《ひ》かれ、無性に手に入れたくなった。仕様やデザイナーのインタビュー記事まで読んでは、湧《わ》き上がる物欲を必死に抑えた。ああどうにか、あれを自分のものにできないものか、と考えてしまう。

仙台を過ぎ、福島を越え、ずいぶん経《た》つ。得意先への営業を終えた疲れはさほどなく、後方へ消えていく山や田園の中に住宅を見つけては、そこに住む誰かに思いを馳《は》せたくなる。私からすれば、彼らの人生は景色の中の一つの素材に過ぎず、その反対に、あちらからすれば、私という存在は、時速三百キロ以上で通過するだけの景色のようなものだろう。

あ、すみません、と通路から声をかけられ、はっとする。見れば、厚手のジャケットを着た中年男性が立っており、申し訳なさそうに頭を下げ、私の足元を指差した。

「ペンが落ちてしまったんですが」

慌《あわ》てて視線を下にやれば、確かに、ボールペンが床にあったため、手を伸ばして拾う。四角い輪郭で、眼鏡をかけた中年男は礼を言って、後部座席に戻った。それまでは意識していなかったが、どうやら後ろの席で男はペンで手紙か何かを書いているらしかった。トレイが軋《きし》む音が時折、する。仕事に関する書類なのか、それとも知り合いへの手紙なのか、もしくは資格試験の勉強でもしているのだろうか。

後ろの座席の会話が耳に入ってきたのは、トイレで小便を済ませた後だった。席に腰を下ろし、また外を見やった時に、「え、佐藤三条子《さとうさんじようこ》ってあの？」と男の声がした。

先ほどペンを落とした中年男だ。

しっ、と注意する声がまた私にもよく聞こえ、余計に気になる。

「僕の座っていたあっちの席からだと、彼女の動きがよく見えないので、ここに座らせてもらえませんか」

「それだったら、もっとほかに空いてる席があるだろうに」

「一人よりは二人並んでいるほうが怪しまれないんですよ」

「記者さんか何か？」

「ええ、まあ」

後部座席の窓際には、先ほどペンを落とした中年男がいたが、隣は空席だったはずだ。どうやら、その記者の男が別の席から移ってきたようだ。ただでさえ、隣に人がいるだけでくつろげなくなるというのに、空席のある車内でわざわざ隣に来る輩《やから》がいれば、私なら不審を通り越し、不快になる。が、窓際の男は、暇をつぶす話し相手の登場がまんざらでもないのか、抗議する様子はない。

「佐藤三条子は確か、スポーツ選手と交際しているんだったか」中年男は、喋《しゃべ》るなと言われているにもかかわらず口を開いてしまう子供のように呟《つぶや》いたが、それは自らの考えをまとめる独り言じみていた。

「バスケのプロ選手です。NBAからも注目されているんですが」

「不倫だったかな」

「離婚しているんですが、いろいろ揉《も》めているらしいです。今になって、既婚時代から佐藤三条子と交際していたんじゃないのか、って前妻が騒いで」

「実際、どうなんだろうね」「何がですか」「不倫だったのかな」「五分五分です。本人たちはそもそも交際を否定していますからね」「そうなのか」「ただ、秋田でバスケの試合があった翌日、東北新幹線の東京行きに彼女が乗っているのは興味深いですよね」「女優って暇なのか」「彼女は特別ですよ。出る映画を選んでますし」


その記者はたまたま車内で、話題の女優を見つけたのか、もしくは、もともと追跡していたのか。ただ、秋田から乗ったのだとすれば、〈はやぶさ〉にいるのはおかしい。秋田方面から来るのであれば〈こまち〉でなくてはならず、盛岡で〈はやぶさ〉と〈こまち〉は連結するとはいえ、車内通り抜けはできないはずだ。すると中年男も同様のことを思ったのか、疑問を口に出した。「秋田から来たのに、何でこっちに乗ってるのかな」

「盛岡駅でホームに降りて、〈こまち〉から〈はやぶさ〉に移動したんですよ」「わざわざ指定席を二種類用意して?」「カムフラージュのためにはやりますよ。記者をまくために」

「まけてないけど」中年男が苦笑気味にぼそっと洩《も》らすと、若者は楽しげに声を立てた。

しばらく新幹線の走行音だけが響いた後、「でも子供が可哀相《かわいそう》ですよね、こういう場合」と若者が言った。

「親が離婚すると？」

「僕もそうでしたからね。子供の頃に。小学校に入る前ですよ。ひどい父親だったようです。暴力を振るったり」

何と声をかけたらいいのか、中年男も悩んだのだろう、後ろの席に重苦しい沈黙が訪れた。下り新幹線が突如、擦れ違い、窓ガラスをびりびりと震わせる。

「子供だった君の記憶にも残ってるわけだ」中年男の声には同情が滲《にじ》んだ。

「実はうろ覚えというかほとんど記憶になくて。ただ、母から長年、言われているうちに記憶が捏造《ねつぞう》されて」若者が笑う。「そういえば、父が母を叩《たた》いていたかな、とか思うようになって。大人になって冷静に考えてみると、母もかなり変わり者ですから、離婚は母にも原因があったんじゃないかと思いもするんですが。母は少しヒステリックなところがあって、感情的になりやすいですから」

「こっそりお父さんと会ったりは」

「一切ないですよ。まあ、そんなことをしたらあの母は爆発するでしょうね。なので、誰の話が正しいのかは定かではないですよ。何が真実かは分からないというか、それぞれの真実があるというか」

「今の君の仕事も似ているかもしれない」

「え、どうして僕の仕事を?」

「言ったじゃないか。記者なんだろ」

「ああ、はい」若者は答えた。「確かに、どこからどこまでが真実なのか嘘《うそ》なのか、そういった記事が雑誌には並んでいますからね」

私は体を起こし、先ほど行ったばかりであるにもかかわらず、トイレに向かうことにした。用を足すわけではない。佐藤三条子の姿を見たい、という好奇心を満たすためだ。

車両を出て、トイレの前まで行く。もともと使用するつもりはなかったが、ちょうどトイレから出てきた人間とぶつかりそうになった。髪が長かったため女性に見えたが、実際は、若い男だった。規則正しい生活は苦手です、とプラカードを下げているかのようなだらしなさが、服装やぼさぼさの髪型から分かる。トイレの中からいじっていたのか、スマートフォンを眺めながらだ。

短く謝罪の言葉を発しながら私は避けたが、すると彼は、「あ、ちょっと待てよ。愚痴聞いてくれるかな」と馴《な》れ馴《な》れしく話しかけてきた。「今、ネットの姓名判断ってのをやったんだ」

「はあ」

「あなたは将来胃腸炎で死ぬでしょう、と出てきたんだよ。そんなのありなのか」

「胃腸炎って怖いんですね」

「そういう話じゃなくて、こんなカジュアルな占いで、そんな怖いこと言っちゃっていいのかって話」

「気にしないでいいんじゃないですかね」私は当たり障《さわ》りのない返事をする。

「俺の名前が変わってるから、うまく姓名判断できねえのかもな」

「変わってるんですか」

「ジョンだよ。アメリカンなんだ」

アメリカンな名前、とは理解できなかったが、私は曖昧《あいまい》に相槌《あいづち》を打ち、男が車両に戻るのを見送る。

洗う必要のない手を洗った後でハンカチで手を拭《ふ》くと、五号車に戻る。さりげなく視線を、サーチライトさながらに走らせる。乗客は多くないから、すぐに該当する女性は分かった。進行方向から見て三列目、三人掛け席の窓際で頬杖《ほおづえ》をつき、外を眺める乗客がいた。サングラスをかけ、顔はよく把握できない。

さすが女優と言うべきか、ただ座って横を見ているだけであるのに、周囲の空気を輝かせるかのような煌《きら》めきが滲んでいた。私にはそれがしっかりと感じ取れ、興奮を隠すのも一苦労だ。

サインをもらいたいものだと考えたところで、自分はそこまで佐藤三条子のファンではないことを思い出す。なのにサインが欲しくなる心理は何であるのか。誰かに自慢するためなのだろうか。この世の中に、サインを見せびらかす相手が一人もいなかったとして、私は佐藤三条子のサインを欲しがるだろうか。いや、いらない。通路を歩きながら、そのようなことを考えてしまう。

自分の席に座る時、やはりさり気なく後ろの座席の二人を見た。記者だという通路側の男は、声から想像していたイメージとさほど変わらず、若かった。下を向きつつ、話をしている。まわりを気にしているのか少しきょろきょろとし、私と目が合う。自分が彼の言葉に唆《そそのか》され、女優を確認してきたことがばれたようで恥ずかしくなり、そそくさと腰を下ろした。

「でも、女優さんが普通車両に乗るのかな。グリーンじゃなくて」中年男性が喋っているのが、背中から聞こえる。まだ、佐藤三条子の話題が続いているらしい。

「グリーン車は一両しかないですし、むしろ目立ちますから」

「そういうものなのか。有名人の気持ちになんてなったことがないからな」

「あ、不躾《ぶしつけ》で申し訳ないですが、何をされている方ですか？」

会話の流れから話題を出したに過ぎないのだろうが、ぐいぐいと個人的な情報を聞き出そうとするのは職業柄なのだろう。私は呆《あき》れる。中年男は困惑気味に、「不躾な質問だなあ」と言いながらも怒ってはいない様子で、「まあ、簡単に言うと先生です」と言う。

「先生？　国会議員も医者も、先生の一種ですが」

「学校のね。高校で国語を」

「それはまた立派な」記者は言った後で、「嫌みじゃなくて、本当にそう思いますよ。学校の教師は重要な仕事ですから」と言い足した。「まあ、国語は苦手でしたけど」

ドアが開き、前方からのしのしと体格のいい男が歩いてきたのはその時だ。鋭い目つきで芸術家じみた顔つきであるが、首から下は貫禄《かんろく》があり、相撲の関取のような体型で、そのアンバランスさに当惑せずにいられない。

私の横で立ち止まる。じっと前を見ていたが、やがて私の横の空席に体を入れた後で、自らの重みを支えるのが面倒になったかのように腰を下ろすものだから、ぎょっとする。

「どうも」と相手は言った。「あ、私の席はここではないんですけどね」

「知っています」と私は答える。あなたも記者？　と訊《たず》ねそうになる。

「もう少し後ろなんですけど、ほら、向こうから車内販売のワゴンが来ちゃいましたから」

合点がいく。彼の体格からすると、ワゴンとすれ違うのが大変なのかもしれない。座って、やり過ごすつもりなのだろう。だからといって、隣に座られるのは抵抗があるが、彼のほうは気まずさや気後れはないらしく、「何か困ったこととかありませんか？」と親しげに言ってきた。

「困ったこと？」隣に図々《ずうずう》しい乗客が勝手に座ったこと以外に？　と続けたいところをこらえた。

「ええ。私、実は、相談屋をしていましてね」

「相談屋？　カウンセリングとか、悩み相談という感じのですか。解決策を教えてくれるというか」

「解決！」男は感嘆するかのように声を弾ませる。「解決はできないですよ。大半の物事は、他人が解決できるものじゃありません。私はまあ、助言をするだけなんですが」

「助言？」

「そんな商売が成り立つのか？って思いましたか。いやあ、これが意外に成り立つんですよ。この間は、バスジャックの罪で服役していた男性があまりに落ち込んでいるので、もう一度挑戦してみたらどうですか、とおすすめしておきました。なので、何か困ったことがありましたら言ってください」

「バスジャック？」そんな物騒な言葉が出てくるとは不意打ちで、声が裏返る。

「何でも相談に乗りますから。相談事はありますか」

言われても相談事などなかったが、どこかの客が止めているのだろう、ワゴンがなかなかやってこないものだから、無言でいるのも気まずく、「しいて言えば、車が欲しいんですよね」と口にした。

「いいですね。車というのは便利ですから。それはぜひ買ったほうがいいかと思いますよ」特に思慮することなく、来たピンポン球をラケットで打ち返すかのような軽快さで言う。

「とはいえ、車はお金がかかります。都内だと使う機会もそんなにないですし。でも、買ったほうがいいですかね」

「種明かしをするようで気がひけますが、実はこういう相談の場合、『買うな』と助言したほうがリスクは低いんです」

「どうしてですか」

「たとえば、今、私が、買うなと言ったら、あなたは、『そうか買わないほうがいいのだな』と思うかもしれません。そして、ひたすら我慢するわけです。ただ、いつまで我慢すれば、その物欲から解放されるのかは分かりません。半永久的に、あなたは自分の、買いたい欲求と闘わなくてはいけないわけです。その結果、新車を買わないで済むのであれば問題はなく、私の助言は正しかったと思うはずです。買わないことで、トラブルはそうそう起きませんからね。一方、もし、我慢ができず新車を買ったとしましょう。その結果、ローンに追われ、維持費に苦労し、後悔したとします。その場合も、私を恨むことはありません。せっかくの助言を守らなかったのは自分なのですから、むしろ、私に申し訳ない気持ちになるくらいですよね」

言われてみればそうかもしれない。「そこまで分かっているのに、買うことをオススメしてくれるんですか」

うなずく彼の横顔を見ると、二枚目の俳優と喋っているような気持ちになる。「やはり、『欲しい』という気持ちを毎日我慢しているのも可哀相ですからね。それに、だいたいこういうことは、どちらの選択をしてもさほど影響はないんですよ。住めば都というか、買おうが買うまいが人生は変わりません。もちろん、買った新車で事故に遭えば、後悔もするでしょうが、それを言うなら、買わなかったとしても事故に巻き込まれるかもしれません。基本的にはね、相手がしたがっていることを後押しするのが、私の助言のスタンスです。少なくとも、ストップをかけられるよりは、その時は感謝されます。『あなた、もやもやしていますね』なんて、曖昧で、誰にでも当てはまる言葉を投げる占い師よりもよほど無害ですしね」

「はあ」私は、彼の話す理屈に納得したような、納得できないような感覚になったが、そこでワゴンが通り過ぎ、彼が「お邪魔しました」と立ち上がった。「私は車には興味がないんですけどね、さっき読んでいた雑誌の広告にあった」とどこからか週刊誌を取り出し、ぺらぺらとめくると、車メーカーの広告をこちらに向けた。「これ、恰好《かっ》《こう》いいですよね。いつか乗ってみたいです」

そこに載っているのは、開放式の荷台をつけたトラック、ピックアップトラックで、私はそこまで惹かれなかったが正直に感想を述べる必要もないため、「いいですね」とだけ答えた。

「死ぬまでに乗ってみたいものです」と彼は言った。

いつの間にか大宮駅に停車していた新幹線が、また走り出す。私は背もたれによりかかり、自然と後ろの声を探した。まだ記者はいる様子で、ちょうどそこで、「え、本当ですか」と言うのが耳に入った。「どうして先に言ってくれなかったんですか」

「いや、うっかりしていたんだ。頭が回らなかったから」中年男が弁解じみた言い方をする。「ただ、確か、あれはバスケットボールの選手だったような」

「一両目に？」

「盛岡から乗る時、ホームにいたんだ。一番先頭のところに。背が高いし、恰好もねバスケ選手のようだった。だから、もしかすると彼女と示し合わせて、彼も盛岡から〈はやぶさ〉に乗り換えて、同じ列車に乗ってるのかもしれない」

果たしてそれがどの程度重要な情報なのか、一緒の列車にいるからどうだというのか、私には理解できなかった。記者にしても同様だったのか、「なるほど」と言うだけだった。

「今のうちに確認したほうがいいんじゃないかな。東京駅に着いたら、追うのは難しいだろうし、写真が撮れるかどうかは分からないけれど、俺が君なら見に行く」中年男は言った。ただの聞き役であったのが、急に、同業の先輩めいた言い方をするのが意外だった。おそらく記者も同様の困惑を覚えたのだろう、「ですかね」と警戒する言い方をした後で、「ちょっと見てきます」と席を立った。

前方車両に向かい通路を進んでいく記者の背中が見える。荷物もなく、ふらふらとドアの向こうに消えた。

後ろからの声がなくなると私は急に手持無沙汰《ぶさた》になり、窓の外をまた眺め、飲みきったビール缶にまた口をつけ、それからスマートフォンをいじくる。前の席の背もたれネットに手を伸ばし、JRの広報誌を読む。

盛岡の名産についての記事を読み、一方で頭の別部分では新車を買うべきかどうか、先ほどの自称相談屋の言葉を反芻《はんすう》していた。買うべきか買わないべきか、買わないでいつまで我慢ができるのか。確かに、買わない、と決めたところで永遠に諦《あきら》めることができるのだろうか。購買欲が蒸発するよりも、買うメリットを自分に都合よく列挙しはじめるほうが先になるように思えてならない。

広報誌にいたずら書きがされているのを発見したのは、そこでだ。先にこの席に座っていた何者かが、書き加えたのだろうか。

長細い球体に足をつけたようなイラストがあり、小さな文字が綺麗《きれい》に記されている。「一匹見かけたら十四いる」「体長三メートル、重さ百キロ」「時速八十キロ〜百キロで走る」と書かれている。どうやら、自分で考案した、想像上の生き物について解説しているかのようだった。子供が書いたにしては、字が美しい。乗車中に暇に任せて、架空の生物の設定を考えていたら興が乗ったのか。イラストの下に、「セミンゴ」といかにも適当に付与したかのような名前が書かれている。「世界がおしまい」ともあり、その文字がバツ印で消されている。この可愛《かわい》らしい生き物が、ゴジラよろしく街を破壊するのだろうかと想像すると、愉快な気持ちになった。

背後で人が立つ気配がある。例の中年男が窓際の席から腰を上げ、移動しているようで、私はまたしても様子を確かめたくなり、後方に用事があるような素振りで、とはいえトイレは逆方向であるから、あたかも電話に着信があったようなふりをし、スマートフォンを耳に当てながら通路を後ろへと行った。

中年男は思いもしない場所にいた。自分の席から二列後ろ、通路を挟んで反対側の三席つながりの一番奥の席に腰を下ろし、体をすぼませている。

通り過ぎ、後方自動扉から車両を出ると、一呼吸おいてからまた戻った。

中年男はやはり、自分の座席とは違う左側に身をひそめ、探し物をするかのようにがさごそと動いていた。大きめの旅行鞄《かばん》の中を覗《のぞ》いているのだ。

あの鞄は彼のものではないだろう。誰かの荷物を漁《あさ》っているに違いなく、その誰かとはきっと、先ほどの記者ではないかと想像できた。あの席は、もともと記者がいた席で、その記者の荷物を無断で覗いているのではないか。

となれば、先頭車両にバスケ選手がいたという話は、彼の嘘、虚偽の目撃情報の可能性が高い。記者を遠くへ行かせ、その隙《すき》に荷物を確かめるためだ。

どうして荷物を調べる必要が？

私は横目に中年男の動きを観察しながら、ほとんど凝視していたが、自分の席にまた戻る。うろうろと何をやっているんだかと自嘲《じちょう》したくなるが、怪しさでいえば後ろの中年男も充分に怪しい。図々しい若い記者に突然、横に座られて迷惑を蒙《こうむ》っているだけに思えた中年男が、突如として、得体のしれない人物に思えてくる。

いったい何が起きているのか。

中年男は何をしているのか。

はじめに浮かんだのは、彼が、記者の素性を確かめようとしているのでは、という推測だった。女優を追っているなどともっともらしい説明はしたものの、やはり急に他人の隣に座るのは常識外であるから、本当に記者なのかどうか心配し、警戒するのは当然だろう。が、それにしても、荷物を漁るような真似《まね》をする必要があるのだろうか。直接、本人に、問い詰め方の強弱はあるにしても、質問をぶつけて確認することはできるはずだ。

つまり、あの中年男も、記者の裏をかく理由があるのだ。

それは何か。

たとえば、あの中年男は、女優を守ろうとしているのかもしれない。記者がどこまで調べているのか、記事になるようなネタをつかんでいるのかどうか、ノートやカメラを点検するために荷物をいじっているのではないか。もしかするとあの中年男は女優をガードするために雇われた人間で、同じ車両内で離れて座り、こういった事態に備えていたのかもしれない。

そうでなければ、女優を応援するファンだとも考えられる。たまたま憧《あこが》れの女優と同じ車両に乗り合わせたファンが、しつこい記者をどうにかしようと思い立ったのではないか。

そこで、先ほどまで中年男がペンで何か書いていたことを思い出した。あれは女優へのファンレターだったのでは？　せっかくの偶然の出会いに浮かれ、そのチャンスに乗じ、手紙のひとつくらいは手渡ししたいと考えたのではないか。そこに、記者がやってきた。

私の後方で、やり取りしていた二人の間で、見えない攻防が繰り広げられていたのかと思うと急に緊張してしまう。

巻き込まれてしまうのが怖くなり、関わらないほうがいいと、もともと関わるつもりはなかったが、気を引き締める。

後ろで物音がした。中年男がまた座席に戻ってきたようだ。荷物漁りは終わったのだろうか。

間一髪のタイミングと言うべきか、前方のドアが開き、記者が戻ってきた。

難しい顔をしているのは、バスケ選手を発見できなかったからだろう。実際、彼は後ろの通路側の席に座ると、「いませんでした」と言った。「本当にいたんですか？」

「おかしいな」

「背が高そうな人すら、見当たらなかったですよ」その発言は、中年男を責める口ぶりだった。

「おかしいな」中年男はその返答で押し切ることに決めたのか、即座に答える。

東京駅到着のアナウンスが聞こえた。中年男は、「そろそろ着く」と念を押すように言った。「終わりのようだ」と。

「ああ、ですね」記者もさすがに自分の席に戻るつもりらしかった。腰を上げているのが分かる。「隣に座って、申し訳ありませんでした」と挨拶《あいさつ》をする。「おかげで助かりました。ありがとうございます」

「何も役に立たなかった気がするけれど」

「いえ、ありがたかったです」

「こちらこそ」中年男に礼を言う必要があるとは思えなかったが、彼は言った。「ありがとう」

「ああ、そういえば」

「何か？」

「昔、不思議なことがあったんですよ」記者が言う。

「不思議な？　どういう」

「小学校六年の時だったんですけど、母がね、体調を崩して入院したことがあったんです。僕も一週間ほど、病院の宿直室みたいなところで特別、寝泊りさせてもらったんですけどね」

「それは大変だったね」

「そこでクリスマスの夜を迎えたんですけど、プレゼントがちゃんと枕元《まくらもと》にあったんですよ」

「はあ」中年男もまさかここで、クリスマスの話になるとは想像していなかったのか、当惑していた。

「母は病室で点滴を受けてましたし、誰がプレゼントを持ってきてくれたのか分からなくて」

「病院の人かな」

「みんな違うって言うんですよ。嘘を言ってるようでもなかったですし、いまだに謎《なぞ》なんです。もしかすると父が持ってきたんでしょうか」

「その、ええと、DVで離婚した？」

「DVは母の捏造の可能性が高そうですが」

「そうなのかい」

「ええ。ただ、母は、父とは連絡を取っていないから、プレゼントを持ってくるなんて、ありえないと言ってたんですが」

「君のお父さんではないんだとすれば」中年男は関心なさそうに答えた。「それは本当のサンタクロースなのかもしれない」

　終点、東京駅に向け新幹線が速度を落とす。いくにんかの乗客が乗降ドアのあるデッキ部分へと向かっているが、佐藤三条子が席を立つのに気づいた私は、ばたばたと荷物を整え、通路に出ることにした。

　女優をちゃんと確認したい、間近で見たいと思ったのだ。

　ドアの近くに数人がいたが、混んでいるほどではない。私はいったん洗面台に用事があるようなふりをし、デッキの中ほどまで行き過ぎ、それから引き返して空の缶やゴミを捨てる。それから、佐藤三条子をしっかり確認しようとした。本音を言えば、他人に自慢するためにも写真を撮りたいくらいではあったが、さすがに自重する常識は持ち合わせている。

　ホームに到着し、無事の到着に新幹線自身が安堵《あんど》の息を吐《つ》くかのような、ぷしゅうという噴射音がし、ドアが開く。乗客が荷物を抱え、降りていく。

　私はそこで、俯《うつむ》き気味の佐藤三条子の正面に立ち、彼女の顔をじっくり眺めた。滅多に拝めぬ仏像の姿を記憶にやきつけるような思いで、不自然なほどしっかりとした視線を相手に向けた。意外なことに、彼女はサングラスを外しており、こちらの眼差《まなざ》しの強さに気づいたのか、警戒心丸出しでこちらを見た。

私は車両からホームへと降り立ち、そこで足を止める。下り階段へいそいそと向かう女性の後ろ姿を見送った。

彼女が佐藤三条子でもなんでもなかったという事実を咀嚼《そしやく》するのに、時間がかかった。

間近で見た女性は、私の知っている佐藤三条子とはまるで違っていたのだ。化粧の度合いにより別人に見えた可能性はゼロではないものの、おそらく別人だと捉《とら》えるほうが自然に思えた。

となると、記者は間違えていたのだ。あれは女優ではなかった。というよりも、そもそも記者は本当に、佐藤三条子だと信じていたのだろうか。

新幹線の乗降口を見やる。まさにその記者が降りてきた。旅行鞄を肩からかけ、ホームをこちらの方向へと歩いてくる。そこで私ははたと気づいた。

彼を、見たことがある。

そうなのだ。記憶が残っている。

いったいどこで？　整った顔立ちではあるものの、特徴があると言えるほどではない。

仕事の関係者、飲み友達、過去の同級生、心当たりのある男の顔を片端から当てはめていく。それほど昔ではない、つい最近だ。最近どこかで見た顔だ。

そこで、頭の中でばちんと音が鳴ったのを感じる。切断していた銅線が繫《つな》がったかのようだ。

「あ、あの」と私は、その彼に声をかけていた。

「え」もちろん彼は、私が誰なのか分かるはずもないからか、小さく驚いた。不安にさせるのも申し訳ないため、すぐに、「あの、車のデザイナーをされている方ですよね」と言い足した。

そうなのだ。私が最近、気にかけ、どうにか自分のものにできないかと悩んでいる新車の、デザインに関する記事を読んだ際、そのデザイナーとして話をしていたのが彼だった。WEBページの動画でも観《み》た。

「いえ、あの車気になっていて、買おうと思っていたので」私は話の流れ上とはいえ、すでに買うことに決めた発言をしている自分に苦笑する。

「それはそれは」と彼は素直に喜んでくれる。「でも、よく僕の顔を」

「ただ一つ分からないことがあって」私はそこで、毒を食らわばの精神だったのか、彼が記者だと名乗り、中年男と話をしていたのを聞いてしまった、と打ち明けた。

「前の席に座っていたので、少し聞こえたんです」

彼は赤面し、頭を掻《か》いた。しどろもどろになり、「あれは嘘なんですよ」と認めた。とはいえ、詳細を私に話すつもりはないらしく、「混乱させちゃってすみませんでした」と言うだけだった。「いろいろ話してみるのに、口実が欲しかったので、無理やり記者のふりをしてみたんですが」

「女優の話は」

「適当です。最近、あのスキャンダルネタをニュースで見たばかりなので、それらしく喋ってみました」

「いろいろ話してみたかった、というのは、あの隣の男性とですか？」

「ええ」男は顔をくしゃっとさせた。爽快《そうかい》さすら感じさせる一方で、わだかまりを無理やり吹き飛ばすような表情に見えた。

「何かを聞き出したかったんですか？」私の質問に、彼はかぶりを振った。「いえ、ただ」

「ただ？」

「隣で会話したかっただけなんです」

礼儀正しく挨拶をし、彼は去っていく。私はすぐに振り返る。あの中年男と、彼とは知り合いだったのだろうか。というよりも、中年男が荷物を漁っていたのは、彼が記者ではないことを見抜き、正体を確かめるためだったのかもしれない。

お互い、相手のことを知っていたのか？

私は中年男のほうから話を聞けないだろうかと新幹線車両に戻るが、当然ながら、姿はない。車両清掃の人たちが乗車しているのが見えた。

乗降口前に立ったところで、デッキに紙が落ちているのが見えた。おそらくゴミ入れに捨てたつもりがこぼれたのだろう。私はそれが、遠くから眺めただけにもかかわらず、車内で後部座席の中年男がしたためていたものだ、と分かった。記者を名乗る若者がやってきたため、途中までしか書けなかったのかもしれない。女優へのファンレターでないとしたら何なのか。私はそれを拾いたかったが、アナウンスがちょうど鳴り終え、目の前のドアが閉じてしまった。

私はさすがにそこで我に返った。こんなことにかまけているわけにはいかない。会社に戻らなくては。

◇

二村《にむら》さんもずいぶん慣れてきた、と鶴田《つるた》は、二村佳代《かよ》の仕事ぶりを眺めながら、思う。車両の通路を手際よく行き来し、トレイを拭き、ゴミを片付けていた。「常にベストをつくせ。見る人は見ている」という言葉を鶴田は思い出す。そうなのだ、真面目《まじめ》に仕事をしていれば、誰かがそれを見てくれている。

鶴田はデッキ部分に立ち、それぞれの担当者の動きをチェックしているが、ふとした拍子に床の隅に紙が落ちていることに気づいた。風で転がってきたのかもしれない。拾い上げれば、ノートを切った紙にペンで文章が書かれている。メモかと思えば、達筆の縦書きで、手紙のようだった。

「こんなことを書いていいのか分からないのだけれど」という、まどろこしい文章ではじまっているのは、書いた人物が、逡巡《しゅんじゅん》をそのまま伝えたいからなのだろう、と想像した。


こんなことを書いていいのか分からないのだけれど、盛岡駅のホームで気づきました。はじめは本人だとは思えず、単に似た人だと思いました。三十年以上、まともに会ったことなどないのですから、誰を見ても、その面影を見てしまうところはあるのです。ただ、おそらく間違いないと思っています。ホームで咄嗟《とっさ》に声をかけそうになってしまいましたが、私が誰なのかは分からないでしょうし、さすがに迷惑だと思うのでやめました。かわりに、この手紙を書いています。降りるまでに手渡せればいいのですが。

いつだって君のことを忘れたことはありません。

私が、君と一緒に住めなくなった理由はお母さんからもう聞いているでしょうか。怒られるかもしれませんが、何度か、こっそり姿を見に行ったこともあります。高校の文化祭で劇をやっているのを観ました。私にとっては、あのコーチ役こそが主役でした。美大で絵画展に出た時も、君の絵を何度も観に行きました。などと書くと、気持ち悪いストーカーのようで怖がらせてしまうかもしれませんね。ずっと付け回しているわけではありませんし、本当に、君の人生をそっと垣間見《かいまみ》たかっただけなのです。

仕事でつらいことがあり、捨て鉢になりそうな時は、君のことを考えます。君に恥じないような人間になりたい、そう思うと、きちんとしなくてはいけない、と背筋が伸びるのです。ずれを直し、軌道をもとに戻すような気持ちになります。

今日、ここで会ったのもまったくの偶然です。人に迷惑をかけぬように、真面目に生きてきたご褒美《ほうび》をもらった気分です。喋ることは叶《かな》わないでしょうから、こうして手紙でも渡せればと思っています。

あのデザインは本当に素晴らしいですね。デザイナーが誰であるかは関係なく、私はあの車を購入したくなりました。人気があるため、納車はまだ先のようですが、

手紙はそこで途切れていた。ここまでしか書けなかったのか、書くのをやめたのか、鶴田には分からなかった。が、ゴミとして処分する気持ちにもなれず、それを綺麗に折り畳むと、遺失物用の袋に入れこんだ。

十五年を振り返って　伊坂幸太郎インタビュー

――文庫のオリジナル短編集は初めてになりますね。

伊坂　デビュー十五年目という節目なので、〝文庫のおくりもの〟的なものを作ってもいいんじゃないかな、と思ったんですよね。僕が思った、というよりも編集者が思ったんですけど（笑）。アンソロジーや雑誌のために書いた短編のいくつかを集めて。

――バリエーションに富んだ、いろんなタイプのものが並びました。最初の、「浜田青年ホントスカ」は東京創元社のアンソロジーに収録された短編ですね。

伊坂　架空の町「蝦蟇倉《がまくら》市」を舞台に、複数のミステリー作家が短編を書いたものだったんですよね。書いたのはかなり昔なんですよ。僕は当初、メンバーに入っていなくて、担当編集者が雑談の中で、「今、こういうプロジェクトをやっていて」という話をしてくれて。道尾秀介《みちおしゅうすけ》さんとか米澤穂信《よねざわほのぶ》さんとか、あと、僕が個人的に作品が好きな大山誠一郎《おおやませいいちろう》さんとか、気になる人がたくさん参加していて。できあがっている短編を読ませてもらったら面白かったので慌《あわ》てて担当者に電話をして、「僕も仲間に入れてください」と言って。突貫工事で書き上げたんですよね。当時、いろいろ忙しかった気がするんですけど、ノリで頑張ったんですかね（笑）。今はとてもじゃないけど、そんな風に書けないです。ただ、本にまとまるまでに、かなり時間がかかったんです。その理由はあまりはっきりしなくて（笑）、大阪で、やはりアンソロジー参加者の伯方雪日《はかたゆきひ》さんとお会いした時も、「あの原稿、どうなったんでしょうね」と遠い目をして喋《しゃべ》ったりしていました（笑）。

——助言あり〼《ます》、というユニークな看板を掲げている相談屋の話です。

伊坂　とにかく仲間に入れてもらいたい一心で慌てて書いたのでよく覚えていないんですが（笑）、たぶん、小さいネタをいくつか積み重ねるしかない、と思ったんでしょうね。あ、はじめはこの短編の中で、「どうして人を殺したらいけないんですか？」という子供からの質問と、それに対する、僕なりの答えを書いていたんです。ただそのうち、別の長編『マリアビートル』を書きはじめて、どうせならそちらのほうにこの話題を入れたほうが効果的だなあ、と思ったので、短編から削ってそっちに移行したんですよ。アンソロジーがなかなか本にならなかったことが、逆に功を奏したというか（笑）。

――「ギア」は、講談社の小説誌「エソラ」に掲載された短編ですね。

伊坂　「エソラ」には、「魔王」とか「呼吸」とか好き勝手に書かせてもらっていて。ただ、三つ目の依頼をもらった時は、ちょうど、「起承転結のある短編」を書くのが苦手になってきた時期だったんですよね。自分の読者が求めているであろう、「伏線とその回収」「変わった登場人物」「楽しい会話」といったものが全部嫌になって（笑）、たぶん、『ゴールデンスランバー』を書く前後じゃないですかね。それで、「伊坂幸太郎っぽく全然ないんですけど、それでも良ければ」みたいな話をして、書いた記憶があります。セミンゴというメタリックの怪獣を書きたいだけで、特に細かいことは考えていなくて。普段は、流行《はや》りの固有名詞は作中では使わないのですが、この時はいくつかあえて出してみたりして。今回、この短編集に収録する時は、やっぱり削除しましたけど（笑）。ただ、今これを読み返すと、起承転結はないものの、そんなに「伊坂幸太郎っぽくない！」という感じもないんですよね。この後、『あるキング』とかいろいろ書いたからなのか。まあ、読者が求めているものではないだろうな、というのは当たっていると思うんですけど（笑）。

――スパムメールが重要な役割を果たしています。

伊坂　重要な役割ってほど重要じゃないですけど（笑）。この文面って、当時、流行っていたスパムメールの一つだったんです。今もそうかもしれませんが、その頃って、なんじゃこりゃ、みたいなスパムメールが結構多くて。「絶対こんなのありえないだろ」と思える文章が実話だったら面白いなあ、とか考えていたので、ちょっとアレンジして使ってみたんですよね。誰かが先にやる前に、スパムメールを小説に組み込んでみよう、と意気込んでいたんですが、その後も別に誰もやっていないし、今となっては、大して画期的じゃなかった気がしますね（笑）。

――同じ世界観で、「ブギ」「ギブ」といった続編もあります。

伊坂　そうなんですよ。「ブギ」と「ギブ」は、「ギア」よりももう少しちゃんとした物語があって、読者も喜びそうな感じです（笑）。「ブギ」は狙撃手《そげきしゅ》とセミンゴの戦いを書いたりして。カタカナ二文字シリーズを続けて、最後は、セミンゴと戦う怪獣映画みたいにしようかなあ、と思っていたんですが、ちょっとした理由で書く気力がなくなってしまい、そのままになっているんですよね。

——「二月下旬から三月上旬」は文芸誌「新潮」の創刊百十周年記念号に掲載された作品です。

伊坂　読むほうとしては、純文学にかなり影響を受けてきたんですけど、純文学ってやっぱり、エンタメ小説に比べると芸術的というか、芸術家しか踏み込んじゃいけないような気持ちがするんですよ。ただ、せっかく声をかけてもらったので、書こうと思って。とはいえ、これを書いた頃は少し開き直っていて、「あまり深く考えずに、エンタメ小説でやっている感じでいいかな」と考えたんですよね。時間の経過をいじくって、多重人格ものを絡《から》めてみたんですが、初稿を読んだ編集者からは、「ネタが簡単に分かってしまうから、そこに主眼を置くのはやめましょう」と提案されたんです。それから改稿を何度かやったんですけど、実際、掲載された後、知り合いの編集者と喋っていると、「すぐにバレるとこちらが思っていた部分」が意外に伝わっていなかったりして（笑）、こういうバランスって難しいですよね。

――「if」は「小説トリッパー」の二十周年記念号で書かれた短編ですね。

伊坂　二十周年記念で、「20」をテーマにした二十枚の短編、という依頼だったんですよね。「もしあの時、ああしていたら」という構造の話があるじゃないですか。映画「スライディング・ドア」とか。パラレルワールド的というか、ゲームブック的というか。あの構造をちょっと考えて、思いついた話です。僕の小説って実は、「登場人物」とか「ストーリー」とかよりも、こういう仕組みから思いつくことが多いんですよね。登場人物から考えた作品ってかなり少ないです。

――「一人では無理がある」は「小説新潮」の特集用に書かれたものでした。

伊坂　何の特集だったかは、隠しておいたほうがより楽しめるかもしれませんね。まあ、もちろん雑誌に載っていた時は、その特集用のものだと分かった上で読むので、そのあたりが難しかったんです。たぶん、いつもだったら、「これは×××の会社でした」というのを最後の驚きに使うと思うんですけど、すぐにバレるだろう、ということでこの短編の場合はそのことは序盤で明かしちゃって。そうそう、冒頭の、「物騒な何者かが家にやってくるので、電話で助けを求める」というのは前に、アメリカで起きた事件の記事で読んだものがもとになっていて、それをやりたかったんですが、もう少し、緊張感が出る設定のほうが面白いと思うんですよね。なので、また同じような舞台設定でトライする気がします（笑）。

――「彗星《すいせい》さんたち」は実業之日本社の、働く女性が出てくる短編を集めたアンソロジー『エール！』の第三巻に収録されました。

伊坂　「お仕事小説」も、女性が主人公の小説も、どちらも書くのが苦手なのですが、一応、トライしようと思いまして。何の仕事について書くか、というのはほかの参加作家さんとかぶらないように、事前に決めなくちゃいけなくて。僕の場合は、いつも仕事で東京に行くたびに目にして、興味があったので、「新幹線清掃」にしたんです。ただ同じような時期に、新幹線清掃の会社TESSEIさんが注目されて、「七分間の奇跡」という感じで話題になったんですよね。『新幹線お掃除の天使たち』という本も出て、それもすごくいい本なんですが、これだと、「話題になっているから取り上げた」みたいに思われそうだな、と悩んでしまって、ただまあ、仮にそう思われても別にいいか、とも思いまして(笑)。

――実際、取材に行かれたんですか?

伊坂　そうなんですよ。TESSEIさんに取材を申し込んで。あちこちのメディアから取材されているからか、あちらもすごく取材されるのに慣れていて、本当に助かりました。清掃の現場を見学して、当時、取締役だったのかな、TESSEIの改革を行った矢部輝夫さんから興味深い話をたくさん聞いて、感銘を受けました。その時に言われた、「我々はおもてなしをするだけなんです」という言葉が印象的で、すごく良かったのでこの短編でも使ったんですけど、それから少しして、東京オリンピック誘致の中で、「おもてなし」という言葉が注目されて。今だと逆に、作中で、「おもてなし」という表現は使いにくいので、あの時書いておいて良かった、と思いました（笑）。

——話の内容は少し変わっているというか、不思議なことが起きたのか起きていないのか分からない感じですよね。

伊坂　新幹線清掃の本『新幹線お掃除の天使たち』を読むと、もう、清掃の中でのドラマがかなり感動的なんですよ。事実がすでに、小説的というか。だから、「新幹線清掃の仕事」の中でドラマを作ると、所詮《しょせん》、「実話のアレンジ」っぽくなるだけなんですよね。それは嫌だったので、むしろ絶対にありえない話の方向に行くしかないと思って。もともとは、ＳＦアンソロジーの『ＮＯＶＡ』からの執筆依頼で、短編を書いていた時に、構想したプロットの一つなんです。結果的にそっちは、「密使」という話を書くことになったので、じゃあ、そのＳＦっぽいネタをこっちで使おうかな、と。はじめは、「ちょっと、無理やりすぎるかな」とためらったんですが、オチを思いついたら、可笑《おか》しかったので、これで行こうと。作中で「ラブ・ミー・テンダー」を七回分、とか絵画の話が少し出てくるのは、アンソロジーの他の作家さんの短編に絡めている部分なので、興味がある方はそちらもぜひ読んでいただければ。

——そして、この短編集用に書き下ろされた「後ろの声がうるさい」です。

伊坂 いろんな短編が入った本なんですけど、最後に一応、受け皿みたいなものを置いておいたほうがいいのかな、と思いまして。内容についてはかなり悩んじゃったんですけど、あまり凝ったものにするよりは、シンプルな骨格のものがいいかな、と。ちょっとしたエンディング、というか。

——改めて、デビューしてからの十五年を振り返るといかがですか？ 書いてきた作品について考えると。

伊坂 デビュー作の『オーデュボンの祈り』から最初のほうは、何も考えず、ひたすら自分が書きたいと思ったものを一つずつ、完成させていった気がするんですよね。長編だけで考えれば、『ラッシュライフ』『陽気なギャングが地球を回す』『重力ピエロ』『アヒルと鴨《かも》のコインロッカー』『グラスホッパー』『砂漠』あたりまでで、その後、『オー！ファーザー』を書いたところで、「このまま同じように続けても仕方がないかも」と思ってしまって。

――そのあたりまでが、第一期だとも話されていますよね。

伊坂 無邪気な小学校の六年間が終了しました、みたいな（笑）。それで、そこからはいろんなことに挑戦しつつ、「自分はこういう小説が好きだけれど、読者は求めていないかもなあ」というものを好き勝手やっていこう、と決めて。『ゴールデンスランバー』『モダンタイムス』『あるキング』『SOSの猿』というものを書いたんですよね。そのあたりが第二期というか、中学生活というか（笑）。『マリアビートル』はそういう時期に、「昔みたいな小説は書けない、と思われたら悔しい」と被害妄想的に思って（笑）、書いたものなんですが。ただ、その後、震災とかもあって、小説というのはせいぜい楽しく読んでもらうくらいしか意味がないのかなあ、と悩んで、少し考えが変わってきて。『ガソリン生活』とかは、「実験的」な作品でありながら、「誰が読んでも楽しめる」といったものを目指したんですよね。結果的に、作る側からすると難易度が高いことになっちゃったんですが（笑）、その分、自信作になりました。

――『夜の国のクーパー』などはどういう位置づけなんですか？

伊坂　『夜の国のクーパー』『死神の浮力』『火星に住むつもりかい？』は、僕の中では、「怖いこと三部作」みたいになっていて。「戦争」「自分の死、大事な人の死」「魔女狩り的な世界」という、僕が心から恐ろしいと思っていることがそれぞれ底にあるんですよね。別に、「それをテーマにしよう！」と考えたわけじゃなくて、動機は、「面白い小説を書こう」ということなんですけど、書いているうちに自分のそういった恐怖が流れ込んでいった感じで。この書き下ろし長編三つが書けたことは、僕の中ではかなり大きくて、設定も味わいも構造も違うタイプのものを三つ創《つく》り上げた達成感があるんですが、特に誰からも、「がんばりましたね」と言われることもなく（笑）。

――言われたいんですか？（笑）

伊坂　そういうわけじゃないんですけど（笑）。そして、その三作とほぼ並行して、阿部和重《あべかずしげ》さんとの合作『キャプテンサンダーボルト』も書いていたんですよね。企画物というわけじゃなく、出版社も決めずに二人でこっそり書き続けて、『まんが道』時代の藤子不二雄《ふじこふじお》ってこんな感じだったんじゃないか、と思うような。とにかく、最高のエンターテインメント小説を目指して書いて、それも完成することができたので、今はちょっと、「やりきった」というか、燃え尽きたというか、大学受験を終えた高校生のような感じもあって。

――ここまで長編作品のお話ですが、短編集についてはどういう思いがあるんでしょうか？

伊坂　あちこちで言うんですけど、長編は自分が一番やりたいこと、というか、部屋にこもって絵描きさんが大きな絵を描くような感じだと思うんですよね。読者のことも考えますけど、基本的には自分のために書くだけで。短編はそれに比べると、依頼されたから頑張って書く（笑）、という感じで。短編は、長編に比べると確実に、読者のことを考えて、「面白い仕掛け」「驚きのある展開」を用意しようと思うんです。だからなのか、長編よりも短編集のほうが読者には人気があるような気もして。『チルドレン』『死神の精度』とか、『終末のフール』や『バイバイ、ブラックバード』

『残り全部バケーション』『アイネクライネナハトムジーク』とか、確かに思い返してみると、面白いですよね、あれ（笑）。

――他人の作品みたいな言い方じゃないですか（笑）。

伊坂　やっぱり長編に対する思い入れと比べると、少し違うんですよね。でも、それが逆に、ひとりよがりな部分が少なくなって、読者が楽しめるものになっているのかもしれないですね。長編ではいろんな実験や試行錯誤を好き勝手にやっていますけど、短編集だけ読んでいる分には、僕の作風はずっと変わっていないように見えるんじゃないかなあ、という気はします。

――これからのご予定は。

伊坂　どうなんでしょうね。もう充分がんばったんだから、しばらく休みたいなあという気持ちもあるんですが、「がんばりましたね」とも言われないので（笑）。

――言われたいんですか？（笑）

伊坂　言われたら満足して休んじゃうかもしれないですけど。とりあえずまだ、書きたいものをまた書いていくしかないですよね。十五年やってきた、というのも実感ないんですけど、その時に書きたいと思ったものを書いてきたら、いろいろな雰囲気の作品ができて、それを読んでくれる人がいる、というのはすごく恵まれているなあ、とよく思います。全作読んでくれている人だっているかもしれませんし。そういう人がずっと読んできて良かったなあと思えるようにもう少し書いていきたいですね。

（平成二十七年五月、仙台にて）

底本一覧

「浜田青年ホントスカ」　（『晴れた日は謎を追って　がまくら市事件』
創元推理文庫、二〇一四年十二月）
「ギア」　（「エソラ」vol.3、二〇〇六年四月）
「二月下旬から三月上旬」　（「新潮」二〇一四年六月号）
「if」　（「小説トリッパー」二〇一五年夏号）
「一人では無理がある」　（「小説新潮」二〇一四年十二月号）
「彗星さんたち」　（『エール！　3』実業之日本社文庫、二〇一三年十月）
「後ろの声がうるさい」　書き下ろし

本書収録に際し、改稿を行った。

ジャイロスコープ

新潮文庫　い－69－10

平成二十七年七月一日発行
令和五年十一月二十五日四刷

著者　伊《い》坂《さか》幸《こう》太《た》郎《ろう》

発行者　佐藤隆信
発行所　株式会社新潮社
郵便番号　一六二―八七一一
東京都新宿区矢来町七一
電話　編集部(〇三)三二六六―五四四〇
読者係(〇三)三二六六―五一一一
https://www.shinchosha.co.jp

価格はカバーに表示してあります。

乱丁・落丁本は、ご面倒ですが小社読者係宛ご送付ください。送料小社負担にてお取替えいたします。

印刷・大日本印刷株式会社　製本・加藤製本株式会社

ISBN978-4-10-125030-4 C0193